Mosaik bei
GOLDMANN

Buch

Darf man Brot wegschmeißen, wenn es zu hart ist? Spricht etwas dagegen, sein fünfjähriges Patenkind darüber aufzuklären, dass es keinen Weihnachtsmann gibt, obwohl die Eltern an dieser Mär festhalten? Soll man bei einer Zwangsversteigerung ein Haus kaufen, obwohl man damit die Notlage eines anderen ausnutzt? In seiner beliebten Kolumne »Gewissensfrage« im »Süddeutsche Zeitung Magazin« beantwortet Dr. Dr. Rainer Erlinger jede Woche verzwickte Leserfragen zur Alltagsmoral. Ohne moralischen Zeigefinger und ausgesprochen unterhaltsam beschäftigt er sich dabei mit den ethischen und philosophischen Grundlagen, die unser Wertesystem bestimmen – mit zum Teil erstaunlichen Ergebnissen.

Autor

Rainer Erlinger, Jahrgang 1965, ist promovierter Mediziner und Jurist. Nach Tätigkeiten als wissenschaftlicher Mitarbeiter und Arzt arbeitet er jetzt als Rechtsanwalt und Publizist vor allem auf den Gebieten des Medizinrechts und der Ethik. Im »Süddeutsche Zeitung Magazin« beantwortet Rainer Erlinger jede Woche Gewissensfragen der Leser.

Vom Autor außerdem bei Mosaik bei Goldmann
Gewissensfragen (16966)

Rainer Erlinger

Wenn Sie mich fragen

Antworten zu Fragen der Alltagsmoral

Mosaik bei
GOLDMANN

Die Texte in diesem Buch erschienen zuerst unter dem Titel
»Die Gewissensfragen« im »Süddeutsche Zeitung Magazin«.

Verlagsgruppe Random House FSC-DEU-0100
Das für dieses Buch verwendete FSC-zertifizierte Papier *Munken Print*
liefert Arctic Paper Munkedals AB, Schweden.

1. Auflage
Vollständige Taschenbuchausgabe März 2009
Wilhelm Goldmann Verlag, München,
in der Verlagsgruppe Random House GmbH

Umschlaggestaltung: Design Team München
Umschlagmotiv + Vignetten: Dirk Schmidt, München
Satz: Uhl + Massopust GmbH, Aalen
Druck und Bindung: GGP Media GmbH, Pößneck
BK · Herstellung: IH
Printed in Germany
ISBN 978-3-442-16994-8

www.mosaik-goldmann.de

Inhalt

Händel und Gretel oder: Aus dem Familienleben

ÜBER DEN TOD HINAUS

Nach dem Tod meiner Mutter fand ich unter ihren Sachen ein Tagebuch. Auf dem Umschlag steht »Nach meinem Tod zu vernichten«. Muss ich diesem Wunsch folgen, oder darf ich die Aufzeichnungen meiner Mutter lesen?

CLAUDIA S., MÜNCHEN

In *Die Tante Jolesch,* einem meiner Lieblingsbücher, berichtet Friedrich Torberg über die legendären »Krautfleckerln« ebenjener Tante. Sie seien in der gesamten Verwandtschaft über alle Maßen geschätzt gewesen und hätten, sobald angekündigt, einen Strom von Krautfleckerl-Liebhabern aus allen Teilen der Monarchie bis aus den entlegensten Winkeln der Puszta ausgelöst. Jahrelang habe man versucht, der Tante Jolesch das Rezept zu entlocken. Umsonst. Am Sterbebett der Wunderköchin habe sich schließlich ihre Lieblingsnichte Louise ein Herz gefasst und einen letzten Anlauf gewagt: »Tante – ins Grab kannst du das Rezept ja doch nicht mitnehmen. Willst du es uns nicht hinterlassen? Willst du uns nicht endlich sagen, wieso deine Krautfleckerln immer so gut waren?« Mit letzter Kraft habe sich die Tante Jolesch ein wenig aufgerichtet: »Weil ich nie genug gemacht hab …« Sprach's, lächelte und verschied. So Torberg.

Die sagenhafte Tante hatte es sich in letzter Sekunde anders überlegt und ihr Geheimnis preisgegeben, weil sie es »nicht mit ins Grab nehmen« wollte. Gilt das vielleicht dann auch für die Aufzeichnungen Ihrer Mutter? Ich finde: Nein. Es war die Tante selbst, die sich entschloss, das bislang Gehütete zu offenbaren. Ihr stand die Entscheidung zu, nicht den Verwandten, wollten diese auch noch so sehr dem Geheimnis auf die Spur kommen.

Den Ausschlag gibt für mich letztlich ein weiterer Aspekt: Tagebücher besitzen – anders als Kochrezepte – einen hohen Stellenwert in Bezug auf die Persönlichkeit des Menschen, welche nicht mit dem Tod untergeht. Der Trierer Soziologe Alois Hahn hat nachgewiesen, dass das Tagebuch im Gefolge der Reformation vor allem vom Calvinismus als Mittel zur Gewissensprüfung gefordert wurde und somit die Funktion einer »Beichte ohne Beichtvater« erfüllt. Das Beichtgeheimnis jedoch gilt nicht umsonst als »heilig«. Die Anweisung Ihrer Mutter legt nahe, dass auch für sie die Aufzeichnungen ihrer eigenen Reflexion, nicht der Information der Nachwelt dienten. Solange Sie keine dem widersprechenden Gesichtspunkte finden – Neugier allein zählt hier nicht –, sollten Sie daher den Wunsch respektieren.

FRIEDRICH TORBERG, *Die Tante Jolesch,* dtv 1977, gebundene Ausgabe Langen/Müller 1996, einbändige Sonderausgabe zusammen mit *Die Erben der Tante Jolesch*, Langen/Müller 2008

Eine sehr schöne Hörbuchausgabe, gelesen vom Autor, ist in Zusammenarbeit mit dem ORF bei Langen/Müller Audiobook erschienen ALOIS HAHN, *Zur Soziologie der Beichte und anderer Formen institutionalisierter Bekenntnisse: Selbstthematisierung und Zivilisationsprozess,* Kölner Zeitschrift für Soziologie und Sozialpsychologie 34, 1982: 407–434
Lesenswert in diesem Zusammenhang auch die Entscheidung des BUNDESVERFASSUNGSGERICHTS zur Verwertbarkeit von Tagebuchaufzeichnungen des Beschuldigten im Strafverfahren in der amtlichen Sammlung BVerfGE 80, S. 367–383, sowie die Besprechungen dieses Urteils und des zugrunde liegenden Urteils des Bundesgerichtshofs von KNUT AMELUNG in *Neue Juristische Wochenschrift* 1988, S. 1002–1006 und 1990, S. 1753–1760

FRIEDRICH TORBERG erklärt *Krautfleckerln* im Zusammenhang mit der Geschichte der Tante Jolesch folgendermaßen:
»Jene köstliche, aus kleingeschnittenen Teigbändern und kleingehacktem Kraut zurechtgebackene ›Mehlspeis‹, die je nachdem zum Süßlichen oder Pikanten hin nuanciert werden konnte: in der ungarischen Reichshälfte bestreute man sie mit Staubzucker, in der österreichischen mit Pfeffer und Salz.«
Es existiert eine Fülle von Rezeptvarianten, eine bewährte, angelehnt an das erstmals 1913 erschienene Standarwerk *Wiener Küche* von OLGA UND ADOLF HESS, neu aufgelegt 2001 im Deuticke Verlag, lautet:
Einen Krautkopf (ca. 600 g) nach Entfernen des Strunks in kleine Quadrate (Fleckerln) schneiden, mit je 2 TL Salz und Kümmel vermischen, 20 Minuten stehen lassen. Eine feingehackte Zwiebel in Öl und Zucker goldgelb anrösten. Das ausgedrückte Kraut zuge-

ben, mit Paprika und Pfeffer würzen und mit sehr wenig Wasser ca. 30 Minuten weich dünsten. Währenddessen 500 g Fleckerl (eine österreichische Spezialität aus quadratischen oder rautenförmigen Nudeln; in Notfällen, wozu der dauerhafte Aufenthalt außerhalb der österreichischen Landesgrenzen gehört, kann man auch andere Nudelsorten verwenden) bissfest kochen, unter das Kraut mengen, abschmecken und beides gemeinsam kurz anrösten.

OPAS GELDGESCHENK

Unsere Tochter hat zu ihrer Geburt von meinem Großvater ein nicht ganz kleines Geldgeschenk bekommen, welches er auf ihren Namen fest angelegt hat. Kurz darauf ist er leider gestorben. Nun erwarten wir ein zweites Kind, und mein Mann meint, da mein Großvater diesem ja sicher auch ein Geschenk gemacht hätte, dass das Geld nun einfach gerecht geteilt werden sollte. Ich bin mir da aber nicht so sicher. Bestehlen wir damit nicht unsere Tochter?

CHRISTINE S., INGOLSTADT

Dass Sie sich nicht so sicher sind, halte ich für gut nachvollziehbar. Ich kann nämlich der Auffassung Ihres Mannes fast ebenso sehr folgen, wie ich Ihre Bedenken teile, wobei die Bedenken am Ende überwiegen. Wenn keine besonderen Gründe vorliegen, warum Ihr Großvater anders entschieden hätte, ist tatsächlich die Annahme Ihres Mannes naheliegend, dass auch Ihr zweites Kind ein Geschenk bekommen hätte. Und für seine Idee spricht vor allem eines: Das Prinzip des gerechten Teilens ist einfach viel schöner als die Vorstellung, dass eines der Kinder alles bekommt und das andere völlig leer ausgeht. Auch moralische Standpunkte können nämlich so viel Charme haben, dass man ihnen sofort zustimmen möchte.

Allerdings hat die Idee einen Schönheitsfehler: Folgen Sie ihr, nehmen Sie Ihrer Tochter in der Tat etwas weg. Etwas, das sie noch dazu nicht einmal von Ihnen, sondern von einem Dritten bekommen hat. Das macht die Lösung für mich letztlich inakzeptabel. Andererseits ist die Alternative, alles beim Alten zu lassen, so unattraktiv, dass man nach weiteren Lösungen sucht.

Wie wäre es, wenn Sie die Angelegenheit später mit Ihrer Tochter besprechen, zu einem Zeitpunkt, an dem sie alt genug ist, selbst zu entscheiden? Oder, was ich für noch vorzugswürdiger halte: Wenn Sie annehmen, dass Ihr Großvater erneut ein entsprechendes Geschenk gemacht hätte, hatte er wohl das Geld dazu. Einen üblichen Erbgang vorausgesetzt, haben es dann die Großeltern des Kindes oder gar Sie selbst geerbt. Aus dieser Masse das zweite Geschenk zu bestreiten, entspräche, auch der Annahme Ihres Mannes nach, dem Willen des Großvaters wohl noch viel mehr, als die Hälfte des ersten Geschenks wieder wegzunehmen.

EIN SAGENHAFTES ERBE

In unserer Familie gibt es ein über hundert Jahre altes Märchenbuch meiner Großmutter, aus dem ich als Kind vorgelesen bekam, später las ich meinem Sohn daraus vor. Der hat das Buch vor ein paar Tagen mitgenommen, um daraus seinen Kindern vorzulesen. Er findet, es gehöre jetzt ihm, ich bin anderer Meinung; weil ich alle Bücher meiner Großmutter geerbt habe. Wem gehört es? LUISE M., BAYREUTH

Zumindest juristisch ist die Angelegenheit vollkommen klar: Wenn Sie das Buch geerbt haben, gehört es Ihnen auch. Trotzdem sehe ich ein »moralisches Anrecht« Ihres Sohnes, den Erbschatz mitzunehmen. Ihrer Schilderung nach ist es auch von Ihnen geschätzte Familientradition, dass die Eltern ihren Kindern aus dem Buch vorlesen. Demzufolge »gehört« es also dorthin, wo die Kinder sind. Wer nun tatsächlich Eigentümer im Rechtssinne ist, scheint mir im Verhältnis zu dieser Zweckbestimmung zweitrangig. Besonders innerhalb einer Familie.

GETEILTES GLÜCK

Mein 24-jähriger Neffe hat bei Günther Jauchs Millionärsquiz eine erkleckliche Summe gewonnen. Unsere Familie hat natürlich großen Anteil genommen, die Daumen gedrückt, gratuliert. Jetzt hatten wir ein kleines Familientreffen, wo wir dachten, dass er mit einer Flasche Champagner oder einer Runde im Lokal mit uns seinen Gewinn feiern würde.
Das ist nicht geschehen, und wir sind ein wenig enttäuscht. Dabei denkt mein Neffe durchaus an andere. Er hat zehn Prozent des Gewinns gespendet und Freunde zu einer Reise eingeladen. War unsere Hoffnung auf eine gemeinsame Feier gerechtfertigt?

JÜRGEN R., BERLIN

Bei dem angesprochenen Millionärsquiz handelt es sich doch um eines dieser derzeit so beliebten Bildungsratespiele. Wenn Ihr Neffe da gewonnen hat, kennt er sicher die Lehre des Ptahhotep, entstanden etwa 2350 v. Chr., in der man folgende Zeilen findet:

> Gib deinen Freunden ab von dem, was
> dir zuteil geworden ist,
> es ist ja nur gekommen durch Gottes Gnade…
> Sei nicht schäbig gegen deine Freunde,

sie sind ein fruchtbarer Acker für einen Mann,
den er bewässern soll,
sie sind wichtiger für ihn als seine Schätze.

Und nun wundern Sie sich, dass der Wissenspilz das womöglich rezitieren könnte, aber innerfamiliär nicht so umsetzt, wie Sie sich das vorstellen. Zwischen Ihren Zeilen lugt das »schäbig« des ägyptischen Wesirs ein wenig hervor, ohne wirklich herauszukommen. Das sollte es auch hübsch bleiben lassen, denn Ihr Neffe hat sich eher vorbildlich verhalten. Sicherlich ist die Erwartung einer gemeinsamen Feier gerechtfertigt. Wenn in einer Familie etwas Schönes eintritt, sollten sich alle freuen, auch zusammen. Das war bei Ihnen der Fall. Sie haben gratuliert und sich, vielleicht aus anderem Anlass, mit der Familie getroffen. Gemeinsame Freude braucht jedoch keine Gratisrunde. Auch Ihnen geht es ja wahrscheinlich weniger um das Glas Alkohol als um das Zeichen. Ihr Neffe hätte die Korken knallen lassen können, aber er musste es nicht tun; es ist seine Entscheidung, Sie haben keinen Anspruch erworben.

Offenbar liegt ihm mehr am Konkreten denn am Symbolischen: Er hat bemerkenswerterweise von seinem überraschenden Geldsegen großzügig abgegeben; ganz wie Ptahhotep empfiehlt. Woran man übrigens wieder einmal erkennt, welche Segnungen Bildung im Allgemeinen und die Kenntnis altägyptischer Weisheiten im Speziellen entfalten kann.

Die Lehre des Ptahhotep, der als Wesir unter König Isesi in der 5. altägyptischen Dynastie gelebt haben soll, ist zu finden in: *Die Weisheitsbücher der Ägypter*, herausgegeben von Hellmut Brunner, Artemis & Winkler Verlag 1998

IN DER PFEIFE RAUCHEN

An der Tankstelle sprach mich neulich ein zirka sieben Jahre alter Junge kindlich anrührend an: Seine Mama sei krank zu Hause, und er solle ihr Zigaretten besorgen. Im Tankshop bekomme er aber keine, da er noch zu klein sei. Ob ich die Zigaretten doch bitte für ihn kaufen würde, fragte er und wollte mir schon zwölf Euro in die Hand drücken. Ich habe abgelehnt, weil ich kompromissloser Nichtraucher bin. Seit ich aber die Enttäuschung und den verständnislosen Blick des Jungen gesehen habe, plagt mich das schlechte Gewissen, und ich komme mir kleinlich, sogar schäbig vor. Zu Recht?

HORST-PETER P., NÜRNBERG

Sie brauchen kein schlechtes Gewissen zu haben, Sie haben sich absolut richtig verhalten!

Absolut? Schließlich soll man möglichst anderen helfen und niemanden enttäuschen; das sagt Ihnen auch Ihr Gefühl. Sie bräuchten nur über Ihren Nichtraucherschatten zu springen. Müssen Sie das? »Kompromisslos« zu sein fördert nicht gerade das Zusammenleben, und von seinen Grundsätzen kein Jota abzuweichen, ist nur in geringen Dosen sozialverträglich. Trotzdem dürfen Sie Überzeugungen haben, und niemand kann von Ihnen verlangen, völlig gegen diese zu handeln.

Hier bliebe man unsicher, den Ausschlag gibt letztendlich ein anderer Aspekt: der Jugendschutz. Warum benötigt der Junge Ihre Hilfe? Weil der Tankwart einem Siebenjährigen die Zigaretten nicht verkaufen darf. Auch dann nicht, wenn er sie für seine Mutter holen soll. Nun werden manche sagen, da haben wir doch die Kleinlichkeit, sich auch in so einem Fall pingelig, ja geradezu blind an den Wortlaut des Jugendschutzgesetzes zu halten. Hier droht der Jugend doch gar keine Gefahr. Aber da genau liegt der Denkfehler: Die Gefahr droht sehr wohl. Weniger durch den Tabak als vielmehr durch die Großzügigkeit. Wenn der einfache Satz »Die sind für meine Mutter« den Tankwart dazu brächte, die Zigaretten zu verkaufen, oder Sie »moralisch« berechtigte, die Bestimmungen zu umgehen, bestünde der Jugendschutz nur auf dem Papier; praktisch wäre er wirkungslos.

Mag sich auch innerlich etwas gegen ein Verbot von Ausnahmen sträuben, in diesem Fall kann man, sobald man beginnt, sie zuzulassen, das ganze Gesetz gleich in der Pfeife rauchen. Und dieses Rauchen ginge nicht nur gegen Ihre Überzeugung, sondern auch gegen meine.

JUGENDSCHUTZGESETZ (JuSchG)

§ 10 Rauchen in der Öffentlichkeit, Tabakwaren

(I) In Gaststätten, Verkaufsstellen oder sonst in der Öffentlichkeit dürfen Tabakwaren an Kinder oder Jugendliche unter 16 Jahren weder abgegeben noch darf ihnen das Rauchen gestattet werden.

FALSCHE FOTOS – FALSCHES GLÜCK

Unsere kleine Tochter hat ein Pony und wünscht sich sehnlichst ein Foto aus der Zeit, als es noch ein Fohlen war. Nun habe ich den Züchter angerufen. Er will nachschauen, und ich habe ihm gesagt, wenn er kein Foto von unserem Pony hat, dann soll er mir einfach eines schicken, das so ähnlich aussieht. Meine Familie findet, das sei »Betrug«; ich meine, es ist eine harmlose Schwindelei. Niemand wird beleidigt oder verletzt, und unsere Tochter hat ihr Foto. Aber so ganz wohl fühle ich mich doch nicht dabei. KLAUS K., DÜSSELDORF

Eines vorweg: Ich bin kein Pädagoge, will deshalb gar nicht versuchen zu beurteilen, welche Folgen, positive oder negative, es für ein Kind hat, wenn ein derartiger Herzenswunsch sich als unerfüllbar erweist. Das spielt natürlich mit hinein, hier aber soll es primär um die ethischen Aspekte gehen. Um diese zu untersuchen, könnten wir die Grundsatzdebatte eröffnen, ob nun jede Lüge verwerflich ist oder nur die, welche Schaden anrichtet, eine Unterscheidung, auf die Sie mit Ihrer Bezeichnung »harmlose Schwindelei« anspielen. Oder wir könnten uns mit dem alten Problem jeder Lüge beschäftigen: Was passiert, falls Ihre Tochter die Täuschung zufällig bemerkt?

Doch der eigentliche Knackpunkt Ihrer Frage liegt meines Erachtens woanders. Letztlich entscheidet sich für mich alles an einem Wort: Respekt. Manchmal mag es buchstäblich kinderleicht erscheinen, ein Kind zu betrügen, aber gerade deshalb sollte man es nicht tun. Respekt vor anderen zeigt sich vor allem dort, wo es leicht wäre, ihn nicht zu zollen, nicht beim Mächtigen, sondern beim Verwundbaren. Natürlich kann man argumentieren, Ihnen liegen die Gefühle Ihrer Tochter besonders am Herzen, deshalb wollen Sie auf alle Fälle ein Foto organisieren. Ich sehe es jedoch genau umgekehrt: Letztlich ist Ihnen der Wunsch Ihrer Tochter, was seinen Inhalt betrifft, ziemlich egal; Sie wollen ihn nur scheinbar erfüllen, die Kleine nur glücklich sehen. Allein, das ist in erster Linie Ihr Wunsch, nicht der Ihrer Tochter.

Ich gebe zu, das ist eine recht theoretische Betrachtung und in der Praxis häufig nur schwer umsetzbar. Hier aber scheint mir das möglich und durchaus geboten, wenn Sie Ihre Tochter als eigenständigen Menschen mit eigenständigen Wünschen respektieren wollen. Wer damit anfängt, seinem Kind falsche Fotos unterzujubeln, um alle glücklich zu machen, schickt es am Ende in die Mini Playback Show, damit sich alle amüsieren.

HÄNDEL UND GRETEL

Meine Schwiegertochter und mein Sohn ernähren sich nach bestimmten, sehr komplizierten Vorschriften, die es u. a. verbieten, Fleisch, Wurst und Süßigkeiten zu essen, andere Fette außer Olivenöl zu verwenden und vieles andere mehr. Wenn nun mein Enkelsohn zu Besuch kommt, freut er sich natürlich genau auf diese verbotenen Dinge. Da er sehr mager ist, sehe ich kein Verbrechen darin, ihm Brot mit Marmelade und dick Butter, Gelbwurst oder Fleischpflanzl zu geben. Boykottiere ich dadurch das Konzept meiner Kinder oder darf ich als Oma eigenständig handeln? GERTRAUDE K., MÜNCHEN

Sie kennen sicher mein Faible für Großmütter, weshalb es naheläge, jegliches Handeln Ihrerseits gutzuheißen. Noch dazu werden Sie durch das Gefühl einer starken Zuneigung zu Ihrem Enkel geleitet. Andererseits wollen auch seine Eltern nur sein Bestes und sind darüber hinaus als Erziehungsberechtigte im Besitz der ihnen von Gesetz her verliehenen Macht, in weiten Grenzen über das Wohl des Kindes zu bestimmen.

Wessen Meinung hat nun moralisch Vorrang? In dieser Situation kann man auf das von Jürgen Habermas und Karl Otto Apel entwickelte Prinzip der »Diskursethik« zurückgreifen. Ausgehend davon, dass Gefühle oft zur moralischen Rechtfertigung herangezogen werden, will Habermas stattdessen eine rationale, also vernunftbasierte Basis schaffen – mittels Argumentation. Anders als Kant in seinem kategorischen Imperativ möchte er die Maxime, die Grundsätze des Handelns erst dann als allgemeines Gesetz gelten lassen, wenn sie anderen zur Prüfung im Diskurs vorgelegt wurden. Durch die moralische Argumentation komme es zur einvernehmlichen Beilegung von Handlungskonflikten; es werde damit auch nicht der Wille der Mehrheit, also der demokratischen Macht, sondern ein gemeinsamer Wille aller Beteiligten zum Ausdruck gebracht. Daraus leitet Habermas den »Diskursethischen Grundsatz« ab, »dass nur die Normen Geltung beanspruchen dürfen, die die Zustimmung aller Betroffenen als Teilnehmer eines praktischen Diskurses finden (oder finden könnten)«.

In Ihrem Fall – wenn Sie Ihren Enkel bei sich haben, sind Sie Betroffene im diskursethischen Sinne – bedeutet das, dass beide Seiten sich nicht auf ihre »Ansichten« oder die Eltern auf ihr Erziehungsrecht zurückziehen können, sondern sie durch Argumentation zu einer gemeinsam getragenen, dann für alle verbindlichen Lösung kommen müssen. Also reden Sie miteinander.

Grundlegend: Jürgen Habermas, *Moralbewusstsein und kommunikatives Handeln*, 9. Auflage, Suhrkamp Verlag 2006;

DERSELBE, *Theorie des kommunikativen Handelns,* 2 Bände, 6. Auflage Suhrkamp Verlag 2006
KARL-OTTO APEL, *Diskurs und Verantwortung,* 2. Auflage, Suhrkamp Verlag 1992;
DERSELBE, *Transformation der Philosophie,* 2 Bände, Suhrkamp Verlag 1999, 2002
Zur Einführung: DETLEF HORSTER, *Jürgen Habermas zur Einführung,* Junius Verlag 2006

BRÜDERLICH GETEILT

Unsere Oma schenkt meinem Bruder und mir öfter Geld, jedem denselben Betrag. Heimlich steckt sie mir jedoch immer noch mal genauso viel zu. Ganz offensichtlich zieht sie mich vor. Sie fordert mich auf; Stillschweigen zu bewahren, so dass ich glaube, sie gibt das Geld nur in der Annahme meiner Verschwiegenheit. Ich teile aber stets mit meinem Bruder, ohne dass sie es erfährt. Handle ich falsch?

ALEX T., MÜNCHEN

Eigentlich erscheint doch alles ganz einfach: Wenn Ihre Oma das Extrageld nur unter der Bedingung der Verschwiegenheit zahlt, ist es natürlich nicht richtig, es auszuplaudern; damit täuschen Sie sie absichtlich, um das Geld weiterhin zu erhalten. Andererseits hat sie selbst das Unheil ausgelöst, weil sie Ihren Bruder ohne triftigen Grund zurücksetzt und ihrerseits wiederum ihn darüber täuscht. Nach moralischen Maßstäben haben somit alle Beteiligten Unrecht begangen, ein Teufelskreis, den es zu durchbrechen gilt: durch Offenlegung.

Eigentlich. Aber soll man wirklich so kategorisch sein und das ganze Leben seinen Imperativen unterordnen? Ich glaube nicht, muss allerdings eine Warnung aussprechen: Achtung, Sie verlassen jetzt den ethisch gesicherten Sektor.

In seinem Buch *Die Kunst des Liebens,* das in keinem Rattanregal fehlen darf, unterscheidet der Psychoanalytiker und Sozialpsychologe Erich Fromm zwischen dem Archetyp der Mutterliebe, die jedes Kind ohne weitere Begründung erhält, und der väterlichen, die man sich erst verdienen muss. Daneben möchte ich noch eine dritte Kategorie einführen: die »Großmutterliebe«. Auch sie erhält man ohne Begründung und muss sie sich nicht verdienen; sie wird jedoch nicht gleichmäßig verteilt. Lieblingsenkel zu haben ist ein großmütterliches Privileg. Die Auswahl nahezu willkürlich zu treffen gehört ebenso zum ethischen Gewohnheitsrecht einer Oma wie etwa das heimliche Zustecken von Geld oder Süßigkeiten. Spiegelbildlich dazu gestattet sein gewohnheitsethisch verbürgter Status dem Lieblingsenkel zu tun, was er für richtig hält. Das Charakteristische an der Oma-Lieblingsenkel-Liebe ist, dass sie von derartigen Eskapaden nicht geschmälert wird, denn die Großmutter mag ihren Favoriten nicht für das, was er tut, sondern schätzt umgekehrt, was immer er auch anstellt.

Legt man nun diese ungeschriebenen Regeln zugrunde, handeln Sie nicht falsch. Allerdings auch nur dann.

Erich Fromm, *Die Kunst des Liebens,* Ullstein Taschenbuch Verlag 2005 oder als gebundene Ausgabe bei DVA 2006

WEIHNACHTSBETRUG

Die Eltern meines fünfjährigen Patensohnes sind recht liberal, auch in der Erziehung, nur an einem Punkt nicht: Sie lassen ihr Kind an den Weihnachtsmann glauben. Da wird jedes Jahr ein riesiges Tamtam gemacht, es werden Briefe zum Nordpol geschickt, und wenn der Kleine Wünsche äußert, heißt es: ›Schauen wir mal, was der Weihnachtsmann bringt.‹ Ich finde das nicht nur total überholt, sondern mir kommt es auch falsch vor, ein Kind so zu belügen. Deshalb überlege ich, ob ich ihm – als verantwortungsvoller Pate – die Wahrheit sagen soll. Darf ich das? Muss ich es gar?

RUPRECHT Z., POTSDAM

In den allermeisten Fällen werden Sie finden, dass an dieser Stelle eine Lanze für die Wahrheit gebrochen wird. Und auch in diesem Fall hege ich naturgemäß große Sympathie für sie. Allerdings sind hier auch das Recht der Eltern, die Erziehung ihrer Kinder zu bestimmen, und – über allem stehend – das Wohl des Kindes zu beachten. Es gibt durchaus Situationen, in denen Sie gehalten wären einzugreifen, auch wenn es sich nicht um Ihr eigenes Kind handelt. Wenn die Eltern in der Vorweihnachtszeit dem Kind vom süßen Glühwein abgeben, weil es dann erst so lustig ist und später so gut schläft – das wäre zum Beispiel eine Situation, in der das Kindeswohl in einem Ausmaß gefährdet ist, welches das Recht der Eltern auf Bestimmung der Erziehung zurücktreten lässt. Anders verhält es sich jedoch mit dem Weihnachtsmann. Ob der Glaube daran positiv oder negativ für das Kind ist, scheint selbst eine pädagogische Glaubensfrage zu sein, auf jeden Fall ist da nichts eindeutig richtig oder eindeutig falsch. Deshalb überwiegt im Prinzip das Recht der Eltern, die ja auch die restlichen 364 Tage im Jahr Sorge für das Kind tragen. Sie können bestimmen, wie sie ihrem Kind Weihnachten nahebringen.

Am Ende bleibt aber noch der Wert der Wahrheit als solcher. Ich verstehe nicht, warum man den Kindern völlig unnötigerweise die Mär vom Weihnachtsmann erzählt. Mir wurde von Anfang an die Wahrheit gesagt, und das hat Weihnachten nicht schlechter, sondern sogar noch schöner gemacht. Also sprechen Sie mit den Eltern, ob es nicht besser wäre, ihrem Nachwuchs reinen Wein einzuschenken. Denn es ist auf jeden Fall deren Aufgabe und nicht Ihre, zu erklären, dass der Weihnachtsmann eine Erfindung ist und in Wirklichkeit das Christkind die Geschenke bringt. Dass dem so ist, weiß schließlich – verzeihen Sie das Wortspiel – jedes Kind.

Fair geneppt oder: Wie man richtig Urlaub macht

FAIR GENEPPT

Bei meinem letzten Urlaub in Prag ging das Gerücht um, dass Touristen in vielen Lokalen mehr für ihr Essen bezahlen müssen als Einheimische. Lässt sich dieser erhöhte Touri-Preis ethisch rechtfertigen? Einerseits hat der westliche Reisende vielleicht tatsächlich mehr Geld als der ortsansässige Bewohner. Andererseits sollte ein Preis aus Gerechtigkeitsgründen aber in einem festen Verhältnis zur Ware stehen und sich nicht danach richten, wer die Ware gerade kauft. Normalerweise bezeichnet man das bekannte Phänomen, ausländische Gäste mehr bezahlen zu lassen, als Touristennepp – sollte es hier plötzlich fair sein?

MARIO H., HILDESHEIM

Jetzt werde ich mir wahrscheinlich eine Menge Feinde machen, aber ausschließlich negativ sehe ich Touristenpreise nicht. Sie haben, wie so manches, zwei Seiten. Da gibt es die Nepp-Seite, die natürlich verurteilt werden muss. Die Unerfahrenheit oder mangelnde Sprachkenntnis eines Menschen auszunutzen, um ihn zu schröpfen, ist fast oder wirklich kriminell.

Auf der anderen Seite muss man sich das Einkommen beziehungsweise die Kaufkraft ansehen, welche in Tschechien nur ein Drittel bis die Hälfte der Werte in Deutschland erreichen. Daraus ergibt sich ein Problem. In der Marktwirtschaft steht der Preis nämlich gerade nicht in einem festen Verhältnis zur Ware, sondern wird von Angebot und Nachfrage bestimmt. Das hat zur Folge, dass bei entsprechender Nachfrage zahlungskräftiger Touristen die Preise an beliebten Reisezielen, an denen das Angebot begrenzt ist, auf das Niveau steigen, das die Urlauber zu zahlen in der Lage und bereit sind; übrigens fahren sie dabei häufig immer noch günstiger als zu Hause. Sind die Preise damit plötzlich zu hoch für die einheimische Bevölkerung, wird sie von ihren eigenen Ausflugsorten, Cafés und Restaurants ausgeschlossen. Die Menschen können sich ihr eigenes Land schlicht nicht mehr leisten.

Viele Kurorte gewähren hierzulande Anwohnern Nachlass auf Eintrittspreise, etwa in Schwimmbäder; Fremdenverkehrsorte verkaufen in »Einheimischenmodellen« Ansässigen Bauland günstiger als Fremden. Immer dann, wenn Kaufkraftunterschiede und die harten Gesetze des Marktes die Einheimischen zu verdrängen drohen, scheinen Unterscheidungen gerechtfertigt. Nicht aber, wenn es um reines Abzocken der auswärtigen Gäste geht.

ANGRIFF DER ABGREIFER

Meine Frau und ich haben kürzlich auf Malta Urlaub gemacht. Wir waren mit dem Hotel zufrieden, trotz Baulärms am Tag. Der störte uns nicht, da wir wie geplant tagsüber sowieso unterwegs waren. Die Hotelleitung entschuldigte sich mit einer Flasche Wein und einem Schreiben, in dem die genauen Umstände der Lärmbelästigung (Dauer, Presslufthammer etc.) dokumentiert sind. Mit diesem Schreiben wäre es nun ein Leichtes für mich, gegenüber dem Veranstalter eine Minderung des Reisepreises durchzusetzen. Halten Sie ein solches Vorgehen für moralisch verwerflich?

OLIVER M, BERLIN

O ja! Und ob ich ein solches Vorgehen für verwerflich halte! Sie schreiben im Konjunktiv; daraus entnehme ich, dass Sie nicht wirklich vorhaben, Geld vom Veranstalter zurückzufordern. Das Folgende gilt also nicht für Sie, es muss aber einmal gesagt werden. Viele würden sich diese Chance nämlich nicht entgehen lassen; ein Verhalten, das ich als »Abgreifmentalität« bezeichne: Man nimmt alles mit, was sich einem bietet, nur weil es sich bietet. Das halte ich für falsch.

Unerheblich ist dabei der Einwand, dass es nicht schlimm sein könne, wenn jemand etwas fordert, das ihm dem Gesetz nach zusteht. Ob das bei Ihnen, der Sie vom Baulärm ja gar nicht belästigt wurden, tatsächlich der Fall wäre, ist eine juristische Frage, die hier aber offen bleiben kann. Denn unmoralisch ist es so oder so. Müssten Sie eine Störung Ihres Urlaubs vortäuschen, um Geld zu bekommen, ist das schon wegen der Lüge falsch. Aber selbst wenn Sie auch ohne Störung ein Recht auf Minderung des Reisepreises haben, bleibe ich bei meiner Meinung. Denn dass ein Verhalten der Rechtsordnung entspricht, ist zwar ein Indiz, aber kein Beweis für seine Moralität. Der Tübinger Moralphilosoph Otfried Höffe schreibt dazu: »Das moralische Handeln steht nicht in Konkurrenz zum legalen Handeln, bedeutet vielmehr dessen Verschärfung.« Es kommt eben zusätzlich auf die Beweggründe an. Bei Ihnen läge der Rückforderung aber nicht ein missglückter Urlaub zugrunde, sondern allein der Wunsch, unverhofft Geld abzugreifen.

Und ein zusätzlicher Aspekt: Das Hotel hat sich mit dem Entschuldigungsschreiben und dem Wein fair verhalten. Also sollte man sich genauso fair verhalten und die Ehrlichkeit der Direktion nicht ausnutzen.

OTFRIED HÖFFE, *Moral und Recht.* In: Stimmen der Zeit, 198, Freiburg im Br. 1980, S. 111–121

Eine interessante Textsammlung zu diesem Thema bietet: NORBERT HOESTER (Hrsg.), *Recht und Moral,* Reclam Verlag 2002

FRIEDE DER HÜTTE

Seit vielen Jahren gehe ich einmal im Jahr mit alten Freunden auf die Hütte meines Großvaters in den Allgäuer Alpen. Wir haben über die Jahre ein Würfelspiel entwickelt, an dessen Ende die ganze Männerrunde stets gleich betrunken ist. Die Hütte selbst ist allerdings recht rustikal mit Öllampen und offenem Feuer. Damit wenigstens einer einen klaren Kopf behält, versuche ich jedes Jahr, möglichst wenig zu trinken. Dazu muss ich bei dem Spiel auf alle möglichen Arten betrügen. Ist das zu rechtfertigen? SIEGFRIED P., MÜNCHEN

Nun könnte man es sich einfach machen und auf das Sprichwort verweisen: »Auf der Alm, da gibt's koa Sünd.« Ganz so problemlos aber, wie es der Volksmund sieht, ist es nicht: Aufgehoben sein mögen auf den Bergen vielleicht manche Konventionen, keinesfalls aber die Moral.

Deshalb muss man überlegen: Nüchtern zu bleiben, ist in der Situation nicht nur anständig, sondern absolut notwendig; es fragt sich also nur noch: wie? Im Rahmen des Würfelns haben Sie zwei Möglichkeiten. Entweder Sie ziehen sich aus dem Spiel zurück, oder Sie führen eben Ihre Schummeleien durch. Und in dieser speziellen Situation handeln Sie mit dem Betrug ausnahmsweise eher im Sinne Ihrer Mitspieler.

Der niederländische Historiker Johan Huizinga schrieb in seinem grundlegenden Essay *Homo ludens,* dass derjenige, der sich dem Spiel entzieht, der Spielverderber also, die Welt des Spiels zertrümmert. Er nimmt dem Spiel die Illusion und bedroht damit die Spielgemeinschaft in ihrem Bestand. Das wäre in der Tat der Fall, wenn Sie mit Ihrer Apfelschorle väterlich lächelnd neben den grölenden Würflern säßen. Trinkspiele sind ohnehin etwas Eigenartiges. Macht dann noch einer dezidiert nicht mit, ist der Spaß schnell dahin. Der Falschspieler dagegen, so Huizinga, erkennt dem Scheine nach den Zauberkreis des Spieles immer noch an. Er ist also, so eigenartig es klingen mag, aus Sicht des Spiels vorzuziehen; hier schädigt er die Mitspieler weniger.

Allerdings kann man auch früher ansetzen und insgesamt überlegen, ob ein Kampftrinken notwendig ist. Die Berge sind ohnehin berauschend schön, und selbst der Almrausch blüht allein mit Wasser.

Das Buch *Homo ludens – Vom Ursprung der Kultur im Spiel* des Niederländers JOHAN HUIZINGA erschien bereits 1938, ist jedoch unerreicht und nach wie vor Pflichtlektüre für jeden, der sich mit dem Thema »Spiel« befassen will. Aktuell ist es in der Reihe »rowohlts enzyklopädie« im Rowohlt Taschenbuch Verlag erhältlich und unbedingt lesenswert.

DER MINI-BAR-RAUB

Wenn ich in einem Hotel übernachte, habe ich, jeder kennt es, manchmal nachts großen Durst und nehme mir aus der Minibar zwei Flaschen Wasser oder Cola. Nur sind die Preise dafür leider ziemlich gesalzen. Als sparsamer Mensch gehe ich dann morgens schnell in den nächsten Supermarkt, kaufe die Flaschen deutlich günstiger und ersetze die ausgetrunkenen. Ist daran etwas falsch? Das Hotel hat schließlich keinen Schaden, und ich habe Geld gespart.

TOBIAS Z., STUTTGART

Wo ist das Problem?, möchte man fragen. Wenn Sie das Hotel verlassen, ist die Minibar voll; betrachtet man das Ganze ausschließlich von dieser Warte aus, besteht für moralische Zweifel kein Grund. Dass Sie die trotzdem haben, liegt wohl daran, dass der Kühlschrank vorübergehend Lücken aufwies und Sie etwas zu bezahlen hatten. Kommen wir damit zu einer neuen Betrachtungsweise der Ethik? Auf der einen Seite die Summations- oder Integralethik, die eine Beurteilung rückblickend am Ende (wovon?) vornimmt? Auf der anderen Seite die Fraktal- oder Einzelaktethik, die jeden einzelnen (wie kleinen?) Handlungsschritt betrachtet? Man sieht schon, es droht kompliziert zu werden.

Juristisch gesehen ist mit dem nächtlichen Trunk ein Vertrag mit dem Hotel zustande gekommen, den Sie Ihrerseits durch Bezahlen erfüllen müssen. Ein Recht auf Ersatzbeschaffung ist dabei sicher nicht vorgesehen. Andererseits ist ja das rein Rechtliche in der Moral nicht allein entscheidend.

Schließlich sind die Preise in den Minibars den eingeschränkten Alternativen für den nächtlichen Durst offensichtlich angepasst. Für das, was ein kleines Fläschchen Mineralwasser auf dem Zimmer kostet, habe ich in vielen Hotels noch kurz vorher einen ganz ordentlichen Wein getrunken. Und verursacht hat den Durst womöglich das Haus selbst: mittels nächtlich aktiver Klimaanlagen oder Heizkörper ohne Ventil.

Ist der Ersatzkauf im Supermarkt deshalb eine ethisch gerechtfertigte Selbsthilfe? Trotz allem denke ich: nein. Am Morgen beim Checkout zahlen Sie nicht nur den Wert des Getränks, sondern auch das Bereithalten, den kleinen Kühlschrank und die tägliche Nachfüllkontrolle. Das alles verursacht nun einmal mehr Kosten als im Supermarkt. Genau diesen Service haben Sie aber in Anspruch genommen, weshalb Sie ihn auch bezahlen sollten. Oder Sie stillen Ihren Nachtdurst in Zukunft am Wasserhahn.

IN RUHIGEN GEWISSERN

Vor 25 Jahren kaufte ich zusammen mit einem Freund ein Boot, mit dem wir mehrmals zusammen gefahren sind. Allerdings kümmerte nur ich mich um Winterquartier, Reparaturen und Zusatzausrüstung – und nutzte das Boot dann irgendwann allein.
Vor 15 Jahren bot ich meinem Freund das Boot für sich und seine Familie an. Er solle es aber selbst abholen, denn ich hätte schließlich die ganze Zeit dafür gesorgt. Mein Freund hat es nicht geholt, der Kontakt ist abgerissen, und ich fahre das Boot immer noch. Mit schlechtem Gewissen. Oder muss ich das gar nicht haben?

MICHAEL R., HAMBURG

Sie schreiben, dass Sie ein schlechtes Gewissen plagt; dies erscheint eher ungewöhnlich bei einer Bootsfahrt, der ja gemeinhin (wohl auch wegen der naturgemäßen Verbindung mit dem Wasser) ein wohltuend reinigender Effekt auf die Psyche nachgesagt wird. So sie übers Meer führt, berichtet das Volkslied gar von Stimmungsaufheiterung: »Eine Seefahrt, die ist lustig, eine Seefahrt, die ist schön.« Ein Widerspruch, dem man, verzeihen Sie den Ausdruck in diesem Zusammenhang, auf den Grund gehen sollte.

Der Begriff *Gewissen* lässt sich zurückführen auf das althochdeutsche *gewizzani*, eine etwa im Jahr 1000 von dem St. Gallener Mönch Notker eingeführte Lehnübersetzung des lateinischen *conscientia*, das wiederum dem griechischen *tyneidêsis* nachgebildet wurde. Alle drei Wörter bedeuten »Mitwissen«, die Idee einer Instanz, die mit der Person zusammen um deren Taten und Gedanken weiß – und sie deshalb beurteilen kann. Das führte zu dem vom Apostel Paulus beeinflussten Bild des inneren Richters bei Immanuel Kant: »Das Bewusstsein eines inneren Gerichtshofes im Menschen (›vor welchem sich seine Gedanken einander verklagen oder entschuldigen‹) ist das Gewissen.« Das *Lexikon der Ethik* definiert anders: »Unter Gewissen verstehen wir ein Selbstverständnis des Menschen, in dem er sich dem Anspruch unterstellt weiß, das Gute zu tun.« Dramatischer formulierte es das deutsche Bundesverfassungsgericht in der ihm eigenen Sprache: »›Gewissen‹ im Sinne des allgemeinen Sprachgebrauchs (…) ist als ein (wie immer begründbares, jedenfalls aber) real erfahrbares seelisches Phänomen zu verstehen, dessen Forderungen, Mahnungen, Warnungen für den Menschen unmittelbar evidente Gebote unbedingten Sollens sind.«

Bei allen Konzepten geht es um Sollen, Handlungen, Gedanken, und damit sind wir wieder bei Ihrem Problem: Was sollen Sie denn unbedingt tun, welche konkreten Handlungen oder Gedanken könnten Ihr schlechtes Gewissen verursachen? Das Fahren mit dem Boot? Das könnte dann der Fall sein, wenn Sie das Gefühl haben, es unberechtigt zu benutzen. Nur welche Alternative gibt es? Sinnlos wäre sicherlich, es deshalb stehen zu lassen. Wenn, dann sollte Ihr Freund es (mit-)benutzen, und das müssten Sie mit ihm absprechen. Womöglich nagt in Wirklichkeit auch gerade der abgerissene Kontakt oder Ihre unfreundliche Aufforderung zum Abholen des Bootes an Ihnen. Das führt zu einer Lösung: Nutzen Sie doch den Anstoß und melden Sie sich bei Ihrem Freund. Vielleicht segelt dann auch Ihr Gewissen wieder in ruhigeren Gewässern.

OTFRIED HÖFFE (Hrsg.), *Lexikon der Ethik,* 7. Auflage, C.H. Beck Verlag, 2008

HEINZ DIETER KITTSTEINER, *Gewissen,* in: Handbuch Ethik, herausgegeben von Marcus Düwell, Christoph Hübenthal und Micha H. Werner, Verlag J.B. Metzler, 2006

Das Zitat von IMMANUEL KANT findet sich in: *Metaphysik der Sitten,* AA 6, 438. Eine günstige Ausgabe ist im Reclam Verlag erschienen.

Die Gewissensdefinition des BUNDESVERFASSUNGSGERICHTS stammt aus der *Kriegsdienstverweigerungsentscheidung* vom 20.12.1960, abgedruckt in der amtlichen Sammlung der Entscheidungen des Bundesverfassungsgerichts (BVerfGE) Band 12, S. 45–62 auf S. 54.

Offene Rechnung oder: Wie man richtig Geld verdient

WIE DEUCHT MIR ALLES SO BEKANNT

Ich bin Übersetzer und erhalte manchmal Texte, die ich schon einmal ins Deutsche übertragen habe; es kam sogar vor, dass derselbe Kunde mehrmals teilweise oder völlig gleiche Texte in Auftrag gegeben hat. Bisher habe ich diese Texte wie neue Aufträge behandelt und komplett in Rechnung gestellt, schließlich ist der Zeitaufwand nicht unerheblich zu prüfen, ob die Vorlagen tatsächlich identisch sind. Hätte ich den Kunden darauf aufmerksam machen und nur die zusätzliche Arbeit in Rechnung stellen sollen? JOHN M., BERLIN

Die Idee finde ich gar nicht so schlecht. Auch ich erhalte oft Gewissensfragen, die fast oder ganz identisch sind mit bereits beantworteten. Vielleicht sollte ich in diesen Fällen auch einfach eine solche Frage nehmen, zusammen mit der alten Antwort in der Redaktion abgeben und den Rest des Tages in der Sonne verbringen.

Da Sie an dieser Stelle aber nicht nur Richtiges, sondern auch stets Neues erwarten, habe ich mich pflichtbewusst Ihrem Problem zugewandt und einen Übersetzerverband kontaktiert. Dort konnte ich erfahren, dass üblicherweise nach Zeilen oder Wörtern abgerechnet wird, nach einem festen Satz nur bei regelmäßigen Kunden. Auf dieser Grundlage kann man nun überlegen: Bei einer Einzelkalkulation wäre es natürlich unredlich, einen höheren Aufwand anzugeben als den, der tatsächlich anfällt. Wenn Sie dagegen viel für einen Auftraggeber arbeiten, ist es möglich, im Sinne einer Mischkalkulation immer den gleichen Satz zu verwenden, auch wenn die Übersetzung mal aufwendiger ist und mal einfacher, teilweise sogar eine Wiederholung. Bei vielen Aufträgen gleicht sich das aus, und Sie sind nicht nur berechtigt, jedes Mal eine volle Rechnung zu stellen, sondern müssen es sogar, wenn die Kalkulation aufgehen soll.

Sinnvoll scheint mir hier die einfache Überlegung: Wie würde Ihr Kunde reagieren, wenn er von der ersparten Arbeit trotz voller Rechnung erfährt? Noch besser, Sie legen das Ganze auch tatsächlich offen. Versteht er es, ist alles in Ordnung. Wäre er dagegen verärgert, ist das ein Hinweis, dass Sie nicht richtig handeln. Denn etwas, was nicht »rauskommen« darf, ist in den seltensten Fällen gut. Nicht nur moralisch, sondern auch praktisch: Sie wollen schließlich auch weiterhin Aufträge bekommen.

DER STAAT SIND WIR

Letztes Jahr habe ich während eines Praktikums Geld verdient und Lohnsteuer gezahlt: 8,20 Euro, um genau zu sein. Jetzt könnte ich einen Lohnsteuerjahresausgleich machen. Für mich als Student sind 8,20 Euro genug Geld, um dreimal in der Mensa essen zu gehen. Doch die Bearbeitung meiner Rückforderung im Finanzamt würde den Steuerzahler wahrscheinlich viele Hundert Euro kosten, und das in Zeiten, in denen Deutschland sowieso schon pleite ist. Soll ich auf meinem Recht beharren oder die 8,20 Euro als kleines Geschenk an den Staat verstehen? THOMAS S., WÜRZBURG

Sehr ehrenhaft, dass Sie diese Überlegungen anstellen. Dahinter steckt ein Gedanke, der vielen fremd geworden ist: Der Staat sind wir. Klingt komisch, ist aber so. Ein finanzieller Schaden beim Staat ist ein Schaden bei allen. Über die Gründe, warum das nur wenige so empfinden, kann man spekulieren; hier trägt sicherlich dazu bei, dass kaum jemand gern Steuern zahlt. Deshalb bleibt die Zuneigung gegenüber dem Finanzamt meist auf ein überschaubares Maß begrenzt. Es wäre auch zu hoffen, dass die Bearbeitung nicht gleich viele Hundert Euro kostet. Im Finanzministerium konnte man mir zwar keine konkreten Zahlen nennen, meinte aber, dass der Aufwand Ihre Rückerstattung an Höhe in der Tat bei Weitem übersteigt. Das ist einleuchtend: Allein die Portokosten sind bei der Summe, um die es hier geht, schon beachtlich. Nun drängt sich ein »Geschenk« an den Staat nicht gerade auf bei jemandem, der so viel verdient, dass er übers Jahr hinweg ganze 8,20 Euro Lohnsteuer abführt. Andererseits werden aber gerade Sie als Student sich gewiss darüber freuen, wenn nicht noch die letzten Stellen an den Universitäten eingespart werden.

Deshalb mein Rat: Natürlich ist es völlig legitim, zu viel gezahlte Steuern zurückzufordern. Seien Sie aber trotzdem großzügig. Bei dem Betrag könnte sich das nämlich nicht nur für den Staat, also für alle, sondern sogar für Sie persönlich rechnen. Ein Lohnsteuerjahresausgleichsformular ist so umständlich auszufüllen, wie der Name klingt. Als Student hat man ja angeblich immer Zeit, aber auch Sie wissen sicher Besseres damit anzufangen. In der gleichen Zeit können Sie, wenn Sie einen Job haben, mehr verdienen, und wenn nicht, ist sie auch in Ihr Studium besser investiert.

BILLIGE BAHNCARD

Auf Grund meiner Bewerbung lud mich ein Arbeitgeber – ein gemeinnütziger Verein – zur Vorstellung ein. Es hieß, ich solle mit der Bahn fahren, denn die Flugkosten Stuttgart–Hamburg seien höher. Beim Fahrkartenkauf stellte sich heraus, dass eine Bahncard und die damit verbilligte Fahrkarte zusammen neun Euro weniger kosteten als die normale Fahrkarte. Ich wählte natürlich diese Variante. Der Verein berappte dann ohne weitere Nachfragen den vollen Fahrpreis, sodass mir neun Euro plus die Bahncard blieben, die ich ein Jahr nutzen konnte – privat, und auch als ich dann tatsächlich dort angestellt wurde. Habe ich »Unrecht« getan, wo doch mein Arbeitgeber keinerlei Mehrausgaben hatte?

JOCHEN K., HAMBURG

Normalerweise sage ich ja nichts zur Formulierung der Fragen, dazu wären auch andere eher berufen. In Ihrem Fall will ich es trotzdem tun, denn ich glaube, dass Ihre Wortwahl einen deutlichen Hinweis auf die Lösung Ihres Problems gibt. Sie schreiben, dass der Verein den vollen Preis »berappte«; ein eher ungewöhnlicher Ausdruck an dieser Stelle. Ich will jetzt nicht sinnieren, warum Sie ihn verwenden – er enthält meines Erachtens sogar etwas Abwertendes –, sondern welchen Ausdruck ich ohne großes Nachdenken an seiner Stelle erwartet hätte: »erstattete«. Im Allgemeinen ist es nämlich üblich, dass ein Arbeitgeber, der einen Bewerber zu einem Vorstellungsgespräch einlädt, diesem die Fahrtkosten »erstattet«. Darunter verstehe ich, dass man die Ausgaben, die man hatte, ersetzt bekommt – nicht mehr und nicht weniger. Sie hatten aber nicht die Ausgaben für den vollen Fahrpreis, sondern neun Euro weniger, und deshalb kann ich nicht gutheißen, dass Sie mehr als das ansetzten, auch wenn es sich nur um einen geringen Betrag handelte.

Ich kann mir nur einen Fall vorstellen, bei dem Ihnen der Verein den höheren Betrag hätte anweisen müssen: Falls er darauf hinweist, dass er pauschal die Kosten für eine Bahnfahrt (meist zweiter Klasse) bezahlt, egal ob Sie teurer oder billiger anreisen. Ob das so gewesen ist, geht aus Ihrer Frage nicht hervor. Allerdings wäre es auch dann moralisch geboten, einem gemeinnützigen Verein nur jene Kosten in Rechnung zu stellen, die tatsächlich entstanden sind.

Dass Sie die Bahncard weiterhin privat nutzen, finde ich dagegen unproblematisch. Wenn Sie die Ersparnis weitergeben, kommt die Lösung mit der Bahncard Ihren Arbeitgeber sogar billiger; daran ändert sich nichts, wenn auch Sie einen Vorteil haben.

OFFENE RECHNUNG

Seit drei Monaten warten wir auf eine Handwerkerrechnung von ca. 1000 Euro. Der Betrieb wird seit dem plötzlichen Tod des Chefs von dessen Frau weitergeführt, die aber sehr überfordert wirkt. Soll ich sie nun auf die ausstehende Rechnung aufmerksam machen, auch weil bei einer Zahlungsunfähigkeit der Firma zwei Arbeitsplätze auf dem Spiel stehen, oder soll ich dieses Geld zur finanziellen Unterstützung unserer Kinder verwenden? SEBASTIAN F., KÖLN

Oft lässt sich eine Frage erst sinnvoll beantworten, wenn man sie von verwirrendem Beirat befreit hat. Auch hier wird der Blick gleich von zwei Seiten verstellt. Zum einen schildern Sie die Probleme des Handwerksbetriebes bis hin zur drohenden Insolvenz und setzen dem als moralisches Gewicht entgegen, das Geld nicht für sich, sondern für Ihre Kinder einzusetzen. Damit drängen Sie die Frage auf die Ebene: »Wo wäre das Geld besser aufgehoben?« Dabei lautet sie doch: »Soll man eine fehlende Rechnung anmahnen?« Die Verwendung des Geldes kann in Zweifelsfällen als Entscheidungshilfe dienen, sie trifft jedoch nicht den Kern.

Das zweite Hindernis ist ein allgemeines: Wie man mit Zahlungen, Rechnungen, Fälligkeiten umzugehen hat, ist juristisch geregelt. Rechnungen muss man danach nicht anfordern; es gibt sogar die Verjährung: Hat der Handwerker eine bestimmte Zeit nichts unternommen, kann er seine Ansprüche nicht mehr durchsetzen. Nur (und da muss man eben aufpassen!): Recht und Moral stehen zwar nicht völlig unabhängig nebeneinander, aber das Gesetz verdrängt die Moral auch nicht. Keine Rechtspflicht bedeutet noch lange nicht: keine moralische Pflicht; die kann auch dort bestehen, wo ein Gesetz den Rechtsverkehr regelt.

Deshalb scheint mir sinnvoll, sich vorzustellen, es gebe in diesem Fall keine rechtlichen Bestimmungen, alles bliebe rein zwischenmenschlich. Dann wird es einfach: Der Handwerker hat etwas geleistet, dafür steht ihm sein Geld zu. Er kann es nun verlangen, meist wird man aber, vor einer vollbrachten Arbeit stehend, sogar eher fragen: »Was bekommen Sie dafür?« Umso mehr, wenn man erkennt, dass der andere schlicht vergessen hat zu fordern. Warum soll dieser Grundsatz entfallen, nur weil es für ihn keine gesetzliche Verpflichtung gibt?

BÜRGERLICHES GESETZBUCH BGB

§ 194 Gegenstand der Verjährung

(I) Das Recht, von einem anderen ein Tun oder Unterlassen zu verlangen (Anspruch), unterliegt der Verjährung.

§ 195 Regelmäßige Verjährungsfrist

Die regelmäßige Verjährungsfrist beträgt drei Jahre.

DER WANDERPOKAL

In unserer Abteilung ist es üblich, Kollegen zum Geburtstag zu beschenken. Einer übernimmt die Aufgabe, Geld einzusammeln und ein Geschenk zu besorgen. Als ich nun damit an der Reihe war, stellte ich enttäuscht fest, dass die geplante Karaffe unseren finanziellen Rahmen sprengte. Allerdings hatte ich so ein Stück unbenutzt im Keller; ich hatte es selber geschenkt bekommen, aber es gefiel mir nicht. Also habe ich das gesammelte Geld behalten und die Karaffe dem Kollegen geschenkt, den anderen Mitarbeitern jedoch, um Diskussionen zu vermeiden, nichts davon erzählt. Halten Sie mein Handeln für bedenklich? CHARLOTTE K., BONN

»Was für ein Zufall!«, dachte ich. Sie überlegen sich in der Abteilung ein Geschenk, rechnen dafür mit einem bestimmten Betrag, das erweist sich als Fehlkalkulation, und zufällig steht bei Ihnen, der Organisatorin, genau solch eine Karaffe im Keller, die Sie überdies gern loswerden wollen. Bei einer derart außergewöhnlichen Ballung von Zufällen muss man schon von Fügung oder mehr noch von Schicksal sprechen. Und wo höhere Kräfte zugange sind, sollten wir Normalsterbliche uns einer Bewertung enthalten. In diesem Falle ist natürlich alles in Ordnung.

Es gäbe aber auch eine andere, viel profanere Erklärung: Vielleicht waren Ihnen die Bestände Ihres Präsente-Lagers geistig gar nicht so unpräsent, als Sie das Geschenk zusammen auswählten. Womöglich waren Sie gar nicht so überrascht, als sich die Karaffe dann als zu teuer entpuppte und Ihnen die Lösung mit dem Keller einfiel. Worauf ich hinauswill: Kann es nicht sein, dass Sie dieses Vorgehen insgeheim von Anfang an in die Planung miteinbezogen haben? Am Ergebnis wäre auch in dieser Variante wenig zu mäkeln, solange Sie deutlich weniger als den Ladenpreis behalten haben. Denn den könnten Sie mit dem Verkauf Ihres Kellerstücks niemals mehr erzielen, und Sie brauchen sich an den Kollegen nicht zu bereichern. Sie hätten auch gar nichts dafür nehmen müssen: Derartigen Ballast sinnvoll loszuwerden, ist schon Gewinn genug.

Allerdings sehe ich einen Unterschied bei der Offenlegung: Beim Walten des Schicksals erscheint es gerade noch vertretbar (nicht ideal), das Ganze unerwähnt zu lassen. War aber alles geplant, hätten Sie Ihre Kollegen vorab, spätestens aber nachher informieren müssen. Sonst könnten sich die Mitarbeiter, erführen sie den wahren Sachverhalt, zu Recht getäuscht oder gar ausgenutzt fühlen.

ZU VIEL DES GUTEN?

Wenn ich einen Verkäufer der Obdachlosen-Zeitschrift ›Biss‹ sehe, kaufe ich ein Exemplar. Oft begegne ich danach einem weiteren Verkäufer, dem ich sagen muss, dass ich bereits eine Ausgabe habe, wovon derjenige allerdings nichts hat. Also erwerbe ich manchmal noch eine Zeitschrift, die ich dann im Altpapier entsorge. Wäre es besser, dem zweiten Verkäufer die 1,50 Euro einfach so zu geben? ULLA H., MÜNCHEN

Den Obdachlosenzeitungen liegt eine schöne Idee zugrunde: Nicht Menschen einen Vorwand fürs Spendensammeln zu liefern, sondern ein auf Leistung und Gegenleistung basierendes Geschäftsmodell, das den dafür Tätigen echte Erwerbsarbeit verschaffen soll, auch wenn der Hilfsaspekt oft die Kaufentscheidung trägt.

Stellen Sie Ihre Frage den Verkäufern, so erhalten Sie unterschiedliche Antworten. Verbürgt ist das Zurückweisen von geschenktem Geld mit den Worten: »Ich bin doch kein Bettler!« Andere freuen sich über jeden Euro zusätzlich, auch wenn's dem Geist zuwiderläuft. Die Biss-Zentrale weist darauf hin, dass vom Verkaufspreis 80 Cent an den Verkäufer gehen und 70 Cent an den Verein, der das Projekt trägt. Erst diese 70 Cent eröffnen den Verkäufern überhaupt ihre Einkunftsmöglichkeit; eine Spende ohne Zeitung entzieht das Geld dem Projekt und damit auch dessen sonstigen sozialen Engagements für die Obdachlosen. Der dort geäußerte Rat, eine zusätzliche Zeitschrift zu kaufen und zu verschenken, klingt gut, geht mir aber als Empfehlung zu weit; bürdet er Ihnen doch die Last auf, einen Abnehmer für die gekaufte Lektüre zu finden: die eigentliche Aufgabe des Verkäufers, für die er zu Recht sein Geld erhält. Überspitzt ausgedrückt nehmen Sie ihm seine Arbeit, wenn schon nicht weg, so doch ab.

Was folgt aus all dem? Es klingt hart, sich gegen eine Gabe für einen Bedürftigen auszusprechen, aber es läuft dem Konzept der Aktion zuwider, dem Verkäufer einfach so Geld in die Hand zu drücken. Ich sehe auch keine moralische Pflicht, mehr als ein Exemplar von jeder Ausgabe zu erstehen, will Sie aber nicht davon abhalten. Dann bleiben Ihnen Verschenken, Liegenlassen im Lokal, am Ende das Altpapier. Alternativen wären ein größeres Trinkgeld beim ersten Kauf, das dem zweiten Anbieter allerdings nur statistisch oder zufällig in einem der nächsten Monate zugutekommt; daneben eine offizielle Spende. Kontonummern finden sich vielerorts, zum Beispiel im gekauften Blatt.

Parkzeit aussitzen oder: Bewegung in allen Lebenslagen

MORAL UNTER DRUCK

Jeden Morgen überquere ich eine viel befahrene Straße an einer Fußgängerampel. Während ich nach dem Knopfdruck auf Grün warte, fällt mir oft ein, dass ich zu Hause etwas Wichtiges vergessen habe. Muss ich, nachdem ich den Verkehr gestoppt habe, aus moralischen Gründen zuerst die Straße überqueren, um den Knopfdruck zu rechtfertigen – und dann erneut drücken und zurück über die Straße in die Wohnung? Oder darf ich einfach kehrtmachen und die Autos quasi umsonst anhalten lassen? OLIVER B., DORTMUND

Wunderbar!, war mein erster Gedanke beim Lesen dieser Frage. Wenn hier moralische Überlegungen angestellt werden, dann in Reinkultur. Keine Rechtsfragen, keine finanziellen Aspekte, die in die Abwägung hineinspielen. Es geht praktisch um nichts und doch um einen Aspekt des Verhaltens mit Auswirkungen auf andere.

Diese anderen, die Autofahrer, werden denken: Das hätte er sich auch vorher überlegen können! Das ist richtig, und deshalb sollten Sie vor dem Drücken nachdenken, vor allem wenn es öfter passiert. Nur, nach dem Drücken hilft Ihnen das nicht weiter, im Gegenteil, es wird Ihre moralischen Qualen noch verstärken.

Die möchte ich gern lindern, deshalb erzähle ich Ihnen einen Witz. Kennen Sie den von den Pfadfindern, die nach ihrer guten Tat des Tages gefragt werden? Der erste Pfadfinder berichtet, dass er einer alten Frau über die Straße geholfen habe, und wird belobigt. Der zweite berichtet, dass er mitgewirkt habe, der alten Frau über die Straße zu helfen, und wird ebenfalls gelobt. Nur als der dritte Pfadfinder berichtet, dass auch er geholfen habe, wundert sich der Oberpfadfinder und fragt nach, wieso es gleich dreier dazu bedurft habe. »Weil sie partout nicht hinüber wollte!«, war die Antwort.

Jetzt verzeihen Sie mir wahrscheinlich sogar diesen mittelmäßigen Witz, denn er enthält die Lösung: Genauso wie es keine gute Tat ist, jemandem über die Straße zu helfen, der nicht rüber möchte, ist es moralisch auch sinnlos, über eine Straße zu gehen, wenn man nicht will. Es bringt nichts, und auch die Autofahrer haben nichts davon. Im Gegenteil, wenn Sie es trotzdem tun, müssen Sie wieder zurück und halten den Verkehr mit dem Ziel, ihn nicht umsonst aufzuhalten, zweimal auf. Das ist nicht moralischer, sondern schlicht grotesk.

GERÄDERTES RECHT

Bei Kopfsteinpflaster fahren viele Radfahrer lieber auf dem Gehweg. Wenn mir mit meinem Kinderwagen welche entgegenkommen, schiebe ich ungerührt weiter in der Mitte des Gehweges. Ich gebe zu, dass manchmal Platz zum Ausweichen wäre – ich habe dazu aber keine Lust, weil ich zu Recht auf dem Gehsteig bin und die Fahrradfahrer unrechtmäßig. Stimmen Sie mir zu, dass Radfahrer, die die Unbequemlichkeit des Kopfsteinpflasters fürchten, auf dem Bürgersteig nicht erwarten können, von Fußgängern durchgelassen zu werden? BRITTA B., BERLIN

Natürlich stimme ich Ihnen zu, dass Radfahrer, welche, um nicht durchgeschüttelt zu werden, unrechtmäßig und straßenverkehrsordnungswidrig auf dem Gehweg fahren, nicht erwarten können, von Fußgängern durchgelassen zu werden. Für eine solche Erwartung ist unsere Gesellschaft nämlich viel zu rechthaberisch. Die Radfahrer könnten allenfalls eine Hoffnung hegen – mehr eine fromme denn berechtigte.

Anders ausgedrückt: Ich bin fassungslos. Nicht über Ihre Frage oder das Problem, nicht einmal so sehr über das Nichtausweichen, sondern schlicht über Ihre Begründung. Würden Sie argumentieren, wie mühsam es ist, den Kinderwagen zur

Seite zu wuchten, oder auch nur, dass es nervig sei, um die rasenden Radler herum Buggy-Slalom zu fahren, Sie hätten jedes Verständnis der Welt für Ihr Beharren. Ginge es um Engstellen, niemand verlangte von Ihnen, sich irgendwo an den Rand zu quetschen, schon gar nicht mit einem Baby.

Wenn aber genügend Platz da ist und es für Sie kein Problem darstellt, auszuweichen, warum tun Sie es dann nicht? Nur um recht zu behalten? Tut mir leid – dafür habe ich kein Verständnis.

Nicht um den Radfahrer in Schutz zu nehmen. Würde er mich fragen, er erhielte die Antwort, dass der Gehweg den Fußgängern gehört, er die Verkehrsregeln beachten und sich ansonsten in Berlin ein holpertaugliches Rad zulegen soll. Man kann schließlich auch nicht im Dezember mit Sommerreifen in die Alpen fahren.

Der Gehwegradler befindet sich im Unrecht, Sie im Recht. Und trotzdem sind Sie es, die mit ihrer Rechthaberei einen Spaltpilz in das Zusammenleben trägt, nicht der Verkehrssünder – vorausgesetzt, er lässt Fußgängern den Vorrang und fährt so vorsichtig, dass er niemanden gefährdet. Von der Polizei bekommt er das Ticket, von mir aber erhalten Sie es.

Dies war in all den Jahren der Kolumne die Frage, welche die meisten Leserbriefe hervorgerufen hat. Interessanterweise waren davon ziemlich genau die Hälfte zum Teil wütende Ablehnungen der Antwort, während sich die andere Hälfte erfreut über die deutlichen

Worte gegenüber der Rechthaberei zeigten. Offenbar trifft das Wort »Spaltpilz« beim Thema Radfahrer und Fußgänger den Kern. Uneinigkeit besteht allerdings darüber, welches Verhalten nun genau spaltend wirkt.

DIE ALTEN KRIECHEN

Als umweltbewusster und sparsamer Mensch rolle ich immer dann, wenn ich es nicht besonders eilig habe, und das ist der Normalfall, relativ langsam im Straßenverkehr dahin, also z. B. auf der Autobahn mit 90 km/h. Dabei verbrauche ich zirka 4 Liter Diesel (bei 130 bereits 7 Liter, bei Vollgas 12 Liter). Da es fast alle anderen Pkw-Fahrer offensichtlich viel eiliger haben (jedenfalls werde ich ständig überholt), stelle ich aus deren Sicht wahrscheinlich ein Hindernis dar und bin schon, obwohl ganz rechts fahrend, angehupt/angeblinkt worden. Muss ich auf deren Interessenlage Rücksicht nehmen und deutlich schneller fahren?

THOMAS R., PARCHIM

Als Erstes muss man bei Ihrer Frage im Gesetz nachschlagen, ob das, was Sie tun, überhaupt erlaubt ist. Und tatsächlich gibt es eine Bestimmung in der Straßenverkehrsordnung (StVO), die verbietet, ohne triftigen Grund so langsam zu fahren, dass es den Verkehrsfluss behindert. Doch sieht der Standardkommentar zur StVO die Grenze dafür auf Autobahnen bei 80 km/h, und man darf nicht vergessen, dass bestimmte Fahrzeuge auch dort nicht schneller als 100, 80 oder gar nur 60 km/h fahren dürfen. Sie bewegen sich also, so das Bundesverkehrsministerium dazu trocken, »innerhalb der rechtsstaatlichen Möglichkeiten«, solange Sie sich an das Rechtsfahrgebot halten.

Damit landet man bei der von mir so geschätzten Vorschrift des Paragrafen 1 StVO, die gegenseitige Rücksicht fordert und ein Verhalten, »dass kein anderer ... mehr, als nach den Umständen unvermeidbar, behindert oder belästigt wird«. Die Frage, die sich nun stellt, ist: Wer sind die andere, wer ist somit, nach Sartre, wessen Hölle?

Sind die anderen die, die es eilig haben und von Ihnen am Schnellfahren gehindert werden? Sind Sie der andere, der von den Rasern bedrängt wird? Oder sind die anderen die Menschen, die in einer intakten, möglichst gering belasteten Umwelt leben wollen? Jeder hat seine Interessen, alle sind berechtigt, auch die Ihren. Es gibt kein Grundrecht auf Geschwindigkeit, das alles überrollt. Wer schneller fahren will, muss nach links. Umgekehrt, wenn Sie einen Laster überholen, der 85 km/h fährt, gebietet die Rücksicht, auch mal kurze Zeit aufs Gas zu treten, um nicht mit 90 km/h viele Kilometer lang die Überholspur zu blockieren. Dann kommen alle zu ihrem Recht, und es bewahrheitet sich das Sprichwort: »Langsamkeit ist eine Zier, doch schneller fährt man ohne ihr.«

STRASSENVERKEHRSORDNUNG (StVO)

I. Allgemeine Verkehrsregeln

§ 1 Grundregeln

(1) Die Teilnahme am Straßenverkehr erfordert ständige Vorsicht und gegenseitige Rücksicht.
(2) Jeder Verkehrsteilnehmer hat sich so zu verhalten, dass kein Anderer geschädigt, gefährdet oder mehr, als nach Umständen unvermeidbar, behindert oder belästigt wird.

§ 3 Geschwindigkeit
(2) Ohne triftigen Grund dürfen Kraftfahrzeuge nicht so langsam fahren, dass sie den Verkehrsfluss behindern.

Das Zitat »Kein Rost erforderlich, die Hölle, das sind die anderen.« stammt aus JEAN PAUL SARTRES Theaterstück »Geschlossene Gesellschaft (Huis Clos)«, auf Deutsch erschienen im Rowohlt Taschenbuch Verlag.

ZU VIELE ALTE GÄSTE

In öffentlichen Verkehrsmitteln hängen Schilder wie: »Bitte überlassen Sie Ihren Sitzplatz älteren Fahrgästen!« Das klingt ja ganz vernünftig. Wenn ich aber den ganzen Tag geschuftet habe, abends müde nach Hause fahre, und es steigen etliche rüstige Rentner ein, die den Nachmittag über im Kaffeehaus gesessen haben oder sogar beim Baden waren, sehe ich das nicht ein. Gibt es eigentlich einen moralischen Grund aufzustehen? ANDREAS P., MÜNCHEN

Ich kann Ihre Frage sehr gut verstehen. An manchen Tagen fühle auch ich mich – von der Last der moralischen Fragen gebeugt – deutlich älter als die meisten Senioren in der U-Bahn; an solchen Tagen, so scheint es mir, sehe ich sogar wesentlich älter aus als jene rüstigen Rentner, deren Leben mit 66 Jahren so richtig angefangen hat. Das liegt aber auch am Transportmittel. Bin ich nämlich an einem von diesen Tagen im Aston Martin DB5 unterwegs, fühle ich mich schon an der Tiefgaragenrampe um Jahrzehnte besser.

Natürlich gibt es Erwägungen, die für ein allgemeines Aufstehgebot sprechen, etwa dass Senioren sich den Sitzplatz verdient haben, weil unser Wohlstand auf ihren Leistungen beruht. Andererseits wissen Sie nicht, ob das auf die Person zutrifft, die gerade vor Ihnen steht. Die Frage lässt sich daher am besten pragmatisch lösen. Denn die in Bussen und Bahnen ausgehängte Aufforderung ist sicher kein moralisches Gesetz. Und zudem ist das Vorrecht nicht immer ein Vorteil. Es hat mich beispielsweise nicht wirklich gefreut, als einmal eine junge Frau aufstand, um mir ihren Platz anzubieten.

Man kann aber durchaus folgende Regel formulieren: »Den Sitzplatz soll derjenige bekommen, der ihn gerade nötiger braucht.« Das können mal Sie sein, öfter mal jemand anderer. Denn auch Sie haben sich den Sitzplatz nicht schon dadurch verdient, dass Sie eine Haltestelle früher eingestiegen sind. Deshalb muss man abwägen. Als Mann für eine Frau aufzustehen, ist nicht moralisch geboten, aber charmant. Bei Fahrgästen mit Behinderungen oder sonstigen Gebrechen erübrigt sich jegliche Frage. In allen anderen Fällen schauen Sie dem Menschen doch einfach ins Gesicht: Wenn derjenige so aussieht, als bräuchte er den Platz, dann bieten Sie ihn an, egal, wie Sie sich fühlen. Wenn nicht, sind Sie kein schlechter Mensch, weil Sie sitzen bleiben, nur wären Sie ein noch besserer, wenn Sie trotzdem aufstünden.

BLÖD NIGHT?

Ich bin begeisterte Inline-Skaterin (Bladerin) und fahre gerne bei der Blade-Night mit, einem organisierten Massen-Bladen in München. Andere beschweren sich aber, weil ihnen wegen uns der Heimweg für eine halbe bis eine Stunde abgeschnitten war. Soll ich nun ein schlechtes Gewissen haben?

JENNY W, MÜNCHEN

Nein. Die Blade-Nights gibt es im Sommer einmal pro Woche mit wechselnden Routen, sodass manche Autofahrer einmal im Jahr höchstens eine Stunde behindert werden. Die Straßen stehen ihnen die ganz überwiegende Zeit zur Verfügung, das bedeutet aber nicht, dass sie ein völlig exklusives oder ununterbrochenes Recht darauf hätten. Wir müssen uns unseren Lebensraum nun einmal teilen. Wenn sich viele Tausend Menschen so amüsieren wollen, dass andere einmal eine Stunde eingeschränkt werden, dann ist das in Ordnung. Die restlichen 23 und 364 mal 24 Stunden haben die dann wieder ihre freie Fahrt.

PARKZEIT AUSSITZEN

Als Außendienstlerin besuche ich oft mit dem Auto Kunden in Großstädten. Neulich bekam ich in Nürnberg einen Parkplatz direkt am Bahnhof. Nach meinem Kundentermin hatte ich noch Zeit, bevor ich weiterfahren musste, und habe begonnen, im Auto zu lesen. (Auf der Parkuhr war noch ›was drauf‹.) Nun dachten offensichtlich einige Parkplatzsuchende, ich sei dabei auszuparken, und stellten sich blinkend hinter mich. Muss ich ein schlechtes Gewissen haben, wenn ich auf einem dieser begehrten Innenstadtparkplätze meine Zeit überbrücke, obwohl andere offensichtlich den Parkplatz dringender benötigen?

KAREN P., MÜNCHEN

Allzu viel Einfühlungsvermögen braucht man hier nicht, um die Position des anderen zu verstehen; blinkender Hintermann war jeder schon einmal. Parkplätze in der Innenstadt sind so rar, dass sie nicht nur als gegenwärtige, sondern auch als zukünftige, lediglich mögliche begehrt werden. Es genügt ein Fußgänger, der zielstrebig auf ein parkendes Auto zugeht, und schon ist man bereit, einen Parkplatz-Future-Bond zu zeichnen, Investitionen zu tätigen: notfalls verbotswidrig wenden, stehen bleiben, blinken, warten. Umso mehr, wenn schon jemand im Wagen sitzt, das Wegfahren also greifbar nahe scheint.

Getreu der goldenen Regel »Was du nicht willst, dass man dir tu, das füg auch keinem anderen zu« müssen Sie also anders handeln. Nur wie? Wegfahren? Verschwinden? Sich in Luft auflösen? Dem Wartenden ist das gleich. Sein Interesse für Sie endet buchstäblich an der nächsten Stoßstange. Sie aber brauchen eine Alternative, ganz konkret für Ihr Handeln. Und auch ein schlechtes Gewissen setzt voraus, dass Sie sich hätten besser verhalten können. Aber das gestaltet sich schwierig. Es bringt nichts loszufahren, wenn Sie noch nirgends hinmüssen: Sie stehen dann nur woanders rum. Rundendrehen scheidet aus, und wenn Sie sich statt ins Auto in ein Lokal setzen, bleibt der Parkplatz trotzdem besetzt.

Logisch betrachtet verhalten Sie sich also völlig korrekt; dennoch bleibt es irgendwie provokant. Das sollte man möglichst vermeiden, und in dieser Hinsicht gibt es in der Tat Alternativen: Im Sommer sitzt man auf der Parkbank ohnehin schöner, in einem Kaffeehaus das ganze Jahr. Und wenn tatsächlich einmal das Auto die einzige Möglichkeit darstellt, würde man auf dem Beifahrersitz weniger falsche Hoffnungen wecken. Zu so viel Rücksichtnahme auf die Psyche anderer mag man nicht verpflichtet sein, eine Überlegung wert ist es aber allemal.

NIX GESCHNALLT

Ein Bekannter hatte vor einigen Jahren einen schweren Autounfall. Da er nicht angeschnallt war, wurde er aus dem Auto geschleudert und hat dadurch mit mehr Glück als Verstand überlebt. Nun hat sich meine Freundin in den Kopf gesetzt, dass es sicherer sei, unangeschnallt Auto zu fahren. Meine Gegenargumente stoßen auf taube Ohren, schon oft gab es darüber Streit. Ich habe alles probiert und inzwischen aufgehört, sie auf ihren Leichtsinn hinzuweisen. Muss ich ein schlechtes Gewissen haben, wenn sie sich bei einem Unfall verletzt, weil sie nicht angeschnallt war?

GERRIT S., MÜNCHEN

Ist die Auffassung Ihrer Freundin richtig? Alle Zahlen und Untersuchungen sprechen dagegen. Darf das einem Partner gleichgültig sein? Nein, Sie können Ihre Freundin angesichts dieser Umstände nicht sehenden Auges in ihr Unglück rennen oder fahren lassen. Also tragen Sie Verantwortung. So weit, so gut. Aber welche Konsequenzen sind daraus zu ziehen? Zunächst müssen Sie Überzeugungsarbeit leisten; aber wenn das nichts hilft, wie geht's weiter? Eine womöglich herbeigerufene Polizeistreife wird kaum vor dem Haus patrouillieren, um rechtzeitig einzugreifen. Das Wegnehmen der Autoschlüssel mag eine Trunkenheitsfahrt verhindern, hier müssten Sie sie auf Dauer einschließen und die Ersatzschlüssel dazu. Am Ende sehe ich Sie die Luft aus den Reifen lassen, den Verteiler demontieren, den Wagen sonst irgendwie außer Betrieb setzen oder Ihre uneinsichtige Freundin mit Gewalt am Fahren hindern. So absurd das alles klingt, es offenbart einen Grundsatz, der schon im römischen Recht galt: »Ultra posse nemo obligatur – Über sein Können hinaus ist niemand verpflichtet.« Ihre Pflicht, etwas zu unternehmen, kann nicht weiter gehen als Ihre Möglichkeiten, und die enden bei der Entscheidungsfreiheit des anderen, solange dieser Herr seiner Sinne ist.

Was bleibt Ihnen? Sie können statt nur mit Ihrer Meinung mit Belegen und harten Fakten argumentieren. Sie können sich weigern, im Auto mitzufahren. Aber Sie tragen keine umfassende Verantwortung für das Handeln Ihrer Freundin.

Überlegen Sie doch einmal ein anderes Beispiel: Wenn ein Ihnen Nahestehender raucht und alle gesundheitlichen Warnungen für Humbug hält, sollten Sie ihn auf die Gefahren hinweisen. Mit dem Gartenschlauch neben ihm stehen, um jede Glut im Keim zu ersticken? Das müssen Sie nicht und dürfen Sie nicht. Jeder Mensch hat auch ein Recht auf Unvernunft.

KLEINE SPENDE ZU IHREN GUNSTEN

In Berlin verdienen sich Obdachlose ein Zubrot, indem sie Abreisende auf dem Fernbahnsteig fragen, ob diese eine Tageskarte für den Nahverkehr haben, die sie nun nicht mehr benötigen. Diese Fahrkarten werden von den Obdachlosen dann für einen geringeren Preis weiterverkauft. Prima!? Ich spare Geld und helfe notleidenden Menschen. Ich kaufe eine reguläre und gültige Fahrkarte, frage mich aber, ob ich mir nicht eine ›echte‹ eigene Fahrkarte aus dem Automaten kaufen muss, um die Berliner Verkehrsbetriebe zu unterstützen.

MICHAEL P., BERLIN

Dagobert Duck wird der schöne Satz zugeschrieben: »Ich bin gern großzügig, wenn es mich nichts kostet.« Ihnen scheint das nicht ganz einfache Kunststück gelungen, den sprichwörtlich geizigen Onkel Dagobert, der im Original sogar Scrooge, also »Geizhals«, heißt, in puncto Sparsamkeit zu überflügeln. Bei Ihnen müsste der Satz lauten: »Ich bin gern großzügig, wenn ich selbst dadurch spare.« Das sollte stutzig machen. Auch der biblische Satz »Wer gibt, dem wird gegeben werden« (Lk 6,38) scheint mir trotz wörtlicher Nähe nicht einschlägig. Er dürfte mehr auf inneren Reichtum, das Jüngste Gericht oder eine insgesamt glückliche Lebenswendung denn auf einen augenblicklichen finanziellen Vorteil gemünzt sein.

Ich hole ein wenig aus, um das Problem von der rein rechtlichen Ebene wegzubekommen. Denn auf der ist alles klar. Sie kaufen keine »reguläre und gültige« Fahrkarte, sondern eine ungültige. Die Tageskarten der Berliner Verkehrsbetriebe sind »nicht übertragbar«, das heißt, sie sind auf die Person beschränkt, die sie als Erste verwendet. In dem Moment, in dem der Fahrausweis den rechtmäßigen Erwerber verlässt, wird er inhaltlich von unsichtbarer Hand zerknüllt, sein Wert löst sich durch die Weitergabe auf, und Sie erhalten nur einen äußerlich zwar unveränderten, dennoch entleerten Fahrschein-Anschein.

Das mag jetzt hart klingen, aber man kommt nicht daran vorbei: Wenn Sie die S-Bahn nutzen, müssen Sie ein Entgelt entrichten. Mit der Schnäppchenkarte tun Sie das aber nicht, sondern verhindern nur, beim Schwarzfahren erwischt zu werden. Damit spreche ich mich keinesfalls gegen Hilfe für Bedürftige aus. Bitte unterstützen Sie Notleidende! Aber nicht, indem Sie das Geld an anderer Stelle zu Unrecht vorenthalten.

DIE GELBE GEFAHR

Seit Unizeiten trifft sich unsere Gruppe von Studienfreunden jedes Jahr auf dem Oktoberfest. Da wir alle inzwischen Familie haben, sind ein paar von uns ins Umland gezogen. Einer davon lässt es sich nicht ausreden, mit dem Auto zu kommen und auch wieder nach Hause zufahren, obwohl er viel trinkt. Letztes Jahr haben wir uns schon überlegt, ob wir ihm die Autoschlüssel abnehmen sollen. Andererseits ist er doch ein volljähriger Mensch und muss selbst wissen, was er tut. Sind wir verpflichtet einzuschreiten? MARIO S., DACHAU

Juristen seien, so heißt es oft, keine beneidenswerten Menschen. Den ganzen Tag haben sie mit Akten zu tun, und wenn sie auf Menschen treffen, streiten diese meist. Vor Ihrer Frage stehend sind Juristen allerdings durchaus zu beneiden. In solchen Fällen können sie in ihre Bücher schauen und haben bald die Antwort. In einem der sogenannten Standardkommentare findet sich nämlich der Satz: »Aus der bloßen Zechgemeinschaft, d. h. der gemeinsamen Teilnahme am Trinken, werden Pflichten für die Beteiligten nicht begründet.« Und als Beleg sind Urteile wichtiger deutscher Gerichte, des Bundesgerichtshofs und des Bayerischen Obersten Landesgerichts angeführt. Nach dem Grundsatz »Roma locuta, causa finita« ist damit zumindest für die Rechtspraxis alles geklärt.

Glückliche Juristen! In moralischer Hinsicht hat man es nicht ganz so leicht. Erstens gibt es keine Standardkommentare zu Gewissensfragen und zweitens vor dem Jüngsten Gericht keine letzten Instanzen. Allerdings glaube ich, dass Sie sehr wohl die Pflicht haben, Ihren Studienfreund zu stoppen. Das mag daran liegen, dass Sie und ihn mehr verbindet als das gemeinsame Trinken. Vor allem aber gehen hier die moralischen Pflichten weiter als die rechtlichen. Schließlich ist das Strafrecht, dem die Urteile entstammen, nur äußerste Grenze, »Ultima Ratio der Sozialpolitik«.

Vielleicht kann man die Frage deshalb mit einer anderen Überlegung beantworten. Hätten Sie ein schlechtes Gewissen, wenn Ihr Studienfreund auf der Heimfahrt verunglückt oder einen Fußgänger überfährt? Bestimmt, und das zu Recht. Dass Sie es jetzt nicht haben, weil bislang nichts passiert ist, liegt aber an der Wahrscheinlichkeit, nicht am Prinzip. Deshalb klären Sie das Problem doch am besten im Vorfeld: Machen Sie Ihrem Freund unmissverständlich klar, dass Sie sich nur mit ihm treffen, wenn er nicht betrunken mit dem Auto fährt. Und bleiben Sie hart, wenn er sich uneinsichtig zeigt.

Das Zitat stammt aus der Kommentierung von Walter Stree (Randnummer 41) zu § 13 in SCHÖNKE/SCHRÖDER, *Kommentar zum*

Strafgesetzbuch, 26. Auflage, C.H. Beck Verlag 2001 unter Verweis auf BGH, Neue Juristische Wochenschrift 1954, S. 1047, und Bayerisches Oberstes Landesgericht, Neue Juristische Wochenschrift *1953, S.556.*

Das BAYERISCHE OBERSTE LANDESGERICHT wird hier nicht zufällig zitiert. Seine Urteile werden wegen ihrer juristischen Qualität hoch geschätzt und haben die Rechtsentwicklung in Deutschland nachhaltig geprägt. Dieses Gericht bestand mehr als 380 Jahre, bevor es die Regierung Stoiber zum 30.6.2006 auflöste. Gegen diesen justizbarbarischen Akt wandten sich nicht nur viele Juristen aus ganz Deutschland, sondern auch öffentlich – und das ist beachtlich – drei ehemalige, ebenfalls der CSU angehörende bayerische Justizminister. Spontan wurde der Verein der Freunde des Bayerischen Obersten Landesgerichts e.V. gegründet (www.bayoblg-freunde.de). Um den Vorgang einordnen zu können, seien hier lediglich zwei Zitate des damaligen bayerischen Ministerpräsidenten DR. EDMUND STOIBER zum Obersten Landesgericht angeführt. Eine Kommentierung erübrigt sich.

»Unterbrochen wurde die 375-jährige Geschichte des Bayerischen Obersten Landesgerichts bezeichnenderweise nur in der Zeit des NS-Regimes. 1935 wurde das Bayerische Oberste Landesgericht im Zuge der Gleichschaltungsbestrebungen aufgehoben. Damit wurde nicht nur ein Symbol der Eigenstaatlichkeit Bayerns, sondern auch ein wichtiger Garant einer unabhängigen Justiz zerschlagen.« (26.07.2000)

»Abgeschafft wird das Bayerische Oberste Landesgericht. Seine Aufgaben werden auf die Oberlandesgerichte verlagert.« (6.11.2003)

GESCHENKTE ZEIT

Auf Parkplätzen mit Parkscheinautomat bekommt man gelegentlich von Abfahrenden einen noch nicht abgelaufenen Parkschein geschenkt. So spart man die Parkgebühr, und der Stadtverwaltung kann es eigentlich egal sein, wer in der bezahlten Zeit auf dem Platz steht. Andererseits müsste man sonst eine zweite Gebühr zahlen, insofern entgeht der Stadt doch eine Einnahme. Die Beträge sind zwar relativ klein, aber wie sieht das moralisch aus? WILLI K., MÜNCHEN

Oh je, dachte ich beim Lesen. Das – vorsichtig ausgedrückt – Optimieren von Gebühren- oder Steuerzahlungen stellt meist keinen Hort moralischer Erbauung dar. Daneben gehört die Frage zu denen, die man anhand von gesetzlichen Bestimmungen »technisch« lösen muss, und am Ende stehe ich wieder als Miesepeter da, der anscheinend die größte Freude daran hat, aus kleinlichster Prinzipienreiterei alles zu verbieten, auch wenn es nur um Cent-Beträge geht. Weil aber diese Frage von einer ganzen Reihe von Lesern kam, wollte ich mich nicht drücken. Und siehe da: In der Straßenverkehrsordnung, die auch das Parken an Parkscheinautomaten regelt, findet sich nichts, was Ihrem Tun entgegensteht. Wer im entsprechenden Bereich sein Auto abstellen will, benötigt einen Parkschein für die Parkzeit, woher auch immer er ihn bekommen hat. Ebenso äußerte sich auf Nachfrage die zuständige Behörde.

So weit das Rechtstechnische, nur: Ist es deshalb auch moralisch richtig? Kann es in Ordnung sein, seinen Porsche 911 mit quietschenden Reifen auf den Parkplatz zu bugsieren, dank des Resttickets legal einen Euro zu sparen, den die Gemeinde sonst eingenommen hätte, und nebenan stehen Schüler mit langen Gesichtern vor der aus Kostengründen geschlossenen Stadtbibliothek? Man sollte sich vor der Macht der Bilder hüten. Das provokante Beispiel zeigt einen Kontrast, aber deshalb noch lange keinen ursächlichen Zusammenhang im Sinne eines vorwerfbaren Verhaltens. Natürlich ist es ein Skandal, wenn an der Bildung gespart wird. Trotzdem gilt die Parkberechtigung unabhängig vom Auto eine bestimmte Zeit. Natürlich kann man sie wegwerfen und eine neue lösen. Natürlich hat die Stadt dann einen Euro mehr. Doch entspricht das eher einer Spende, die Legitimität steigert es nicht. Also: Das Problem der leeren öffentlichen Kassen muss gelöst werden, dennoch können Sie in diesem Fall guten Gewissens das kleine Geschenk genießen.

STRASSENVERKEHRSORDNUNG (StVO)

I. Allgemeine Verkehrsregeln

§ 13 Einrichtungen zur Überwachung der Parkzeit

(2) An Parkuhren darf nur während des Laufens der Uhr, an Park-

scheinautomaten nur mit einem Parkschein, der am oder im Fahrzeug von außen gut lesbar angebracht sein muss, für die Dauer der zulässigen Parkzeit gehalten werden …

IN DIE LUFT GEHEN

Wenn ich fliege, komme ich leider häufig verspätet am Flughafen an. Falls sich an den Economy-class-Schaltern eine Schlange gebildet hat, gehe ich einfach zum benachbarten Business-class-Schalter, wo nie viel los ist. Der dortige Mitarbeiter behandelt mich immer freundlich und händigt mir ohne Umschweife mein Economy-Ticket aus. Trotzdem frage ich mich, ob mein Verhalten korrekt ist. HARRY K., BERLIN

Erwachsene Menschen lassen sich normalerweise nicht viel gefallen, schon gar nicht als Kunden. Außer bei Flugreisen. Damit meine ich nicht einmal jene Trips, welche man im Internet lotterieartig fast umsonst erstanden hat und die einen nach stundenlanger Anfahrt von abgelegenen Orten in andere abgelegene Orte bringen, in die man eigentlich gar nicht wollte; ich meine normale Linienflüge zu respektablen Preisen. Es geht auch nicht um das Verhalten des Personals, sondern um das System als solches. Nirgendwo sonst würde sich jemand freiwillig ähnlicher Unbill aussetzen: endlose Anmärsche, ewige Schlangen vor dem Schalter, neues Anstehen vor der Sicherheitskontrolle, Leibesvisitation, eventuell die Aufforderung, Gürtel abzulegen und Schuhe auszuziehen, erneute Fußmärsche, bittstellergleiches Absitzen der Zeit, die man früher da sein musste, Bekanntgabe von Verspätungen in Salamitaktik, Aufruf dazu, sich wie Viehherden durch Gatter zu zwängen, wieder Warten in einem engen Schlauch vor der Flugzeugtüre oder einem Bus, der irgendwann einmal losfährt, Schlangestehen und Angerempeltwerden im Flugzeuggang, schließlich ein Sitzabstand, der einen jedes Kino fluchend verlassen ließe. Es gibt wenig Demütigenderes als zu fliegen, nahezu unabhängig von der gebuchten Klasse! Und trotzdem wird dies alles im Grundsatz akzeptiert, auch von Menschen, denen man ansieht, dass sie sich sonst nichts bieten lassen. Nur ein Bruchteil davon auf Bahnhöfen oder in Zügen würde sofort einen Volksaufstand auslösen.

Das soll jetzt keinesfalls die Krakeeler ermutigen, die sich wichtigtuerisch vordrängeln oder vorlaut über alles beschweren. Aber es lässt darüber nachdenken, dass man ja häufig nicht unbedingt fliegen muss und vieles, zum Beispiel Warteschlangen, nicht auf Naturkonstanten oder Gesetzen beruht, sondern schlicht auf internen Vorgaben der Fluglinien. Unmoralisch ist Ihr Vorgehen deshalb nicht, wenngleich ich es nicht für besonders elegant halte. Und Sie müssen damit rechnen, schnöde zurückverwiesen zu werden; aber auf eine Demütigung mehr kommt's ohnehin nicht an.

Ich weiß etwas, was du nicht weißt,
oder:
Drum prüfe, wer sich ewig bindet

LIEBESBRIEF AUF ABWEGEN

In einer verzwickten emotionalen Situation verschickte ich in einem Anfall von Übermut einen Liebesbrief. Da der Empfänger gerade verreist war, grübelte ich mehrere Tage, ob diese Aktion richtig war. Schließlich nagten die Zweifel so an mir, dass ich zu der Adresse fuhr und den zugestellten Brief wieder aus dem Briefkasten zog. Habe ich mich als Absenderin und »Diebin« des Briefs in einer Person dennoch des Postraubs schuldig gemacht? Wenig später habe ich den Brief übrigens doch noch persönlich übergeben …

PETRA G., MÜNCHEN

Diese Frage stellen Sie einem gelernten Juristen? Dem sofort Begriffe durch den Kopf schwirren wie Herrschaftsbereich des Empfängers, Gewahrsamsbruch, Diebstahl und Schlimmeres? Schon das bloße Nachdenken darüber vermag bedrohliche Schatten auf Ihr hoffentlich bis dato jungfräuliches Vorstrafenregister zu werfen. Und jetzt wollen Sie wahrscheinlich von mir hören, dass die Übertretung von einem halben Dutzend Gesetzen in diesem Fall in Ordnung ist.

Geschätzte Staatsanwälte, Rechtstheoretiker, Erziehungsberechtigte, Medienwächter und alle, die sonst noch Anstoß an öffentlicher Billigung von Straftaten nehmen könnten:

Bitte lesen Sie nicht weiter. Denn, liebe Frau G., meinen Segen haben Sie. Ich könnte jetzt ein paar hundert Zitate bringen, warum die Liebe alles erlaubt, aber glauben Sie es mir einfach. Zwar halte ich nicht so viel davon, sich der ersten Stimme des Herzens zu widersetzen, und auch bei Ihnen scheint ja am Ende der spontan abgeschickte Liebesbrief richtig gewesen zu sein. Doch Ihre Tat ist nicht vorwerfbar. Das, was den eigentlichen Zauber der Liebe und ihres ersten Anwalls, des Verliebtseins, ausmacht, ist der Wahnsinn, das Lodern, das Unbedingte, das Nichtbedenken der Folgen. Wenn der Geliebte am anderen Ende der Welt lebte, man flöge hin, auch wenn man ihn nur kurz sähe und es vermeintlich »nicht lohnt«. Alles lohnt sich, wie Irving Berlin dazu schrieb, in seinem wunderbaren Song *How Deep Is The Ocean?:* »How far would I travel / To be where you are? / How far is the journey / From here to a star?« Was zählt da schon ein lächerlicher Postraub? Des eigenen Briefes? Gegenüber einer Himmelsmacht?

Sie waren schlicht nicht zurechnungsfähig. Falls Sie in der Sache einen Verteidiger brauchen, rufen Sie mich an. Ich pauk Sie da raus!

STRAFGESETZBUCH (STGB)

§ 20 Schuldunfähigkeit wegen seelischer Störungen

Ohne Schuld handelt, wer bei Begehung der Tat wegen einer krankhaften seelischen Störung, wegen einer tiefgreifenden Bewusstseinsstörung oder wegen Schwachsinns oder einer schweren anderen seelischen Abartigkeit unfähig ist, das Unrecht der Tat einzusehen oder nach dieser Einsicht zu handeln.

Das Lied *How Deep Is The Ocean* von IRVING BERLIN findet sich in einer wunderbaren Interpretation von Ella Fitzgerald auf dem Album »Ella Fitzgerald Sings The Irving Berlin Songbook«, erschienen bei Verve.

WER SICH EWIG BINDET

Eine Freundin von mir hat vor Kurzem geheiratet und mich als Trauzeugin gewählt. Wie so üblich haben wir kurz vor der Hochzeit einen »Junggesellinnenabend« veranstaltet. Meine Freundin hat den ganzen Abend mit einem fremden Mann geknutscht. Ich fühlte mich in einer dummen Situation: Hätte ich sie auffordern sollen, damit aufzuhören? Oder durfte ich ihr den »Spaß« lassen? JUDITH J., MÜNCHEN

Ihre Frage ist leider eine der Art, die schon aus der zeitlichen Konstellation heraus schwer zu beantworten ist. Naturgemäß bleibt zwischen dem »Junggesellinnenabend« und der Trauung so wenig Zeit, dass ein gestaltendes Eingreifen allenfalls mit einer Einrichtung wie einem Ethik-SMS-Tag-und-Nacht-Service möglich wäre. Jetzt, nach dem Tätigwerden des Standesbeamten, ist alles geregelt, sodass allein noch ein »hätte, wäre, usw.« bleibt, und das ist immer unbefriedigend. Warum ich auf das Standesamt abstelle? Nun, das Hauptproblem sehe ich nicht darin, ob Sie am Abend hätten einschreiten sollen, sondern ob es richtig war, am folgenden Tag die Ehe zu bezeugen.

Schon was die Braut da veranstaltet hat, finde ich nicht wirklich in Ordnung. Natürlich ist sie formaljuristisch im

Recht, weil das eheliche Versprechen noch nicht geleistet und sie damit »frei« ist. Schließlich ist das ja auch der Grund der entsprechenden Abende. Aber die sind doch wohl eher symbolisch gemeint. Und überdies bin ich kein wirklicher Freund einer Stichtagsregelung, wenn es um Zuneigung und Treue geht.

Mehr noch aber stört mich ein anderer Aspekt: Halten Sie mich für einen Romantiker – aber wer am Vorabend seiner Hochzeit den Drang hat, mit einem Dritten rumzumachen, sollte vielleicht sein Vorhaben für den nächsten Tag noch einmal überdenken.

Hätten Sie etwas unternehmen sollen? Wie gesagt, vielleicht am nächsten Tag. Am Abend selbst wäre kaum etwas auszurichten gewesen. Denn was wollen Sie gegen fehlgeleitete Gefühle schon unternehmen!

DIE SCHARFE SCHWÄGERIN

Die Schwester meiner Frau hat seit Kurzem eine außereheliche Affäre. Um Zeit dafür zu haben, bringt sie stundenweise ihren fünfjährigen Sohn zu uns zur Aufsicht. Ihre Ehe ist seit Längerem in einer Krise, aber trotz des Verhältnisses glauben sie und ihr Mann an eine gemeinsame Zukunft. Meine Frau und ich wollen uns nicht zu sehr einmischen; als Babysitter leisten wir jedoch Beihilfe zum Ehebruch. Sollten wir die Aufsicht künftig ablehnen, um meiner Schwägerin die Schäferstündchen zu erschweren? Natürlich schließt das nicht aus, dass sie ihren Sohn anderweitig unterbringt und ihren Ehemann weiterhin betrügt. JOACHIM B., BERLIN

Ach, früher war doch alles besser, möchte man fast sagen. Allerdings stimmt das nicht; es war nur wesentlich einfacher für einen Moralkolumnisten. Denn die Sittlichkeit – bloß was für eine! – war fest zementiert. Noch 1954 verkündete der Bundesgerichtshof eine klare Bewertung des außerehelichen Verkehrs auch im moralischen Sinne: »Indem das Sittengesetz dem Menschen die Einehe und Familie als verbindliche Lebensform gesetzt und indem es diese Ordnung auch zur Grundlage des Lebens der Völker und Staaten gemacht hat, spricht es zugleich aus, dass sich der Verkehr der Geschlechter grundsätzlich nur in der Ehe vollziehen soll und dass der Verstoß dagegen ein elementares Gebot menschlicher Zucht verletzt.« Man fragt sich an dieser Stelle, die sich auf Sex zwischen Verlobten bezieht, nur noch, ob die Beteiligten anschließend auf dem Scheiterhaufen verbrannt wurden.

Da selbst der verbohrteste Moralist dies nicht mehr meinen kann, bleibt uns heute nichts anderes übrig, als selbst nachzudenken: Womit sich zwei Menschen vergnügen, ist deren Sache; aber das Fremdgehen eines Ehepartners eine andere. Allerdings eben nicht wegen der Dinge, die außerhalb der Ehe passieren, sondern wegen des Verhaltens der Partner zueinander. Und um das zu bewerten, muss man sich nur in die Rolle des betrogenen Ehemannes versetzen, dem das wohl nicht gleichgültig ist und den Ihre Schwägerin auch nicht verlassen will.

Zu guter Letzt Ihr Beitrag zu dem Ganzen: Ja, Sie leisten Beihilfe. Mag sein, dass Ihre Schwägerin den Sohn auch anderweitig unterbringen kann. Aber sie tut es nicht. Sehr wahrscheinlich wird ein nicht abgesperrtes Fahrrad bald von irgendjemandem geklaut. Trotzdem sind Sie, wenn Sie es mitnehmen, ein Dieb.

Das Urteil des BUNDESGERICHTSHOFS findet sich in der amtlichen Sammlung *Entscheidungen des Bundesgerichtshofes in Strafsachen*, BGHSt Band 6, S. 48, das Zitat dort auf S. 53/54.

DUNKLE FLECKEN

Einem befreundeten Paar ist ein Unglück passiert: Er hatte eine volle Kaffeetasse auf die Sofaecke gestellt. Sie kam ins Wohnzimmer, blieb am Sofa hängen, der Kaffee ergoss sich auf den hellen Teppichboden und hinterließ einen Fleck. Er beharrt jetzt darauf, dass sie ungeschickt war; sie sagt, weil so etwas immer passieren könne, stelle man sein Getränk prinzipiell nicht auf dem Sofa ab, beide seien schuld. Um das zu beweisen, platziert sie nun absichtlich Kaffeetassen auf dem Sofa und ruft ihn dann ins Wohnzimmer. Bislang ging alles gut, aber wir, als ›Berater‹ hinzugezogen, fürchten langsam um den restlichen Teppich. Wer ist wirklich schuld?

GISELA P., LEIPZIG

Normalerweise beantworte ich ja keine Fragen, bei denen ich als Schiedsrichter Schuld zuweisen soll. Moral und Ethik sollen uns helfen, besser zusammenzuleben; wechselseitige Schuldzuweisungen bewirken jedoch meist das Gegenteil. Zwar wird die Vergebung als hohe Tugend angesehen, sie setzt aber die Schuld des anderen voraus und kann eine gewisse Gönnerhaftigkeit beinhalten. Noch höher schätze ich deshalb den Verzicht auf die Feststellung der Schuld, solange er nicht zur Vertuschung eigenen Fehlverhaltens dient.

Hier will ich eine Ausnahme machen: Meines Erachtens sind beide gleichermaßen verantwortlich. Und zwar nicht wegen des verschütteten Kaffees, der scheint mir relativ unbedeutend. Da hat sich ein Missgeschick ereignet. Ärgerlich, aber passiert. Der Fleck ist jetzt da und geht mit keiner Schuldzuweisung wieder raus. Man kann nur für die Zukunft daraus lernen, besser aufzupassen; beim Tassenabstellen und beim Betreten des Wohnzimmers.

Den Knackpunkt sehe ich, und das trifft eben beide, in dem offensichtlich von Grund auf gestörten Verhältnis zueinander. Führen die zwei eine Beziehung oder einen Ringkampf? Er will kein Jota nachgeben und sie notfalls den Teppich (dessen Unversehrtheit der Auslöser war) gänzlich opfern, nur um zu beweisen, dass sie Recht hat. Das gemahnt ja schon fast an den Potlach. Bei dieser Form des Wettkampfs, die man in den verschiedensten alten Kulturen findet, zerstören die beiden Gegner immer mehr von ihrem Besitz, bis am Ende einer nichts mehr und damit gewonnen hat. Um überlegen zu sein, ruinieren sich beide. Wer sich derartiger archaischer Stammesriten bedient, sieht seine Partnerschaft offensichtlich als Spiel, schlimmer noch, als Kräftemessen. Dann aber braucht es keinen ethischen Rat, sondern einen Scheidungsanwalt.

Ausführungen zum Potlach finden sich auf S. 70ff. in dem bereits zitierten Buch *Homo ludens* von JOHAN HUIZINGA, erschienen im Rowohlt Taschenbuch Verlag.

HAARIG

Vor etwa einem Jahr habe ich mich nach achtjähriger Beziehung sehr unschön von meinem Freund getrennt, weil sich herausstellte, dass ich jahrelang betrogen worden war. Nun hat er mir zum Geburtstag drei Gutscheine für meinen sündhaft teuren Friseur geschenkt. Obwohl ich im Gegensatz zu ihm gerade nicht viel Geld habe, wollte ich sie aus Stolz nicht einlösen. Mein Friseur erklärte mich daraufhin für verrückt, zumal mein Ex im Voraus bezahlt habe, und überredete mich. Der Haarschnitt ist fantastisch, aber wenn ich nun in den Spiegel blicke, kann ich mich nicht darüber freuen. Jedes Mal frage ich mich, ob ich käuflich bin! Sollte ich die restlichen Gutscheine doch lieber verfallen lassen?

JASMIN T., MÜNCHEN

Aus ethischer Sicht scheint mir vor allem eines wichtig: Was, argwöhnen Sie, könnte Ihr Ex sich durch die Gutscheine erkauft haben? Ihre Zuneigung? Das mag jetzt eigenartig klingen, aber gerade in Liebesdingen wäre so ein Vorgehen nicht unüblich. Oder liegt automatisch etwas Schlechtes in einem Strauß von fünfzig oder gar hundert roten Rosen? Damit kann man sich in das Herz seiner oder seines Liebsten »einkaufen«, und doch muss, wer sich von einem derartigen Präsent anrühren lässt, noch lange nicht käuflich sein. Man kann die Großzügigkeit eines Geschenks nämlich als Symbol des Ausmaßes der Zuneigung sehen; oder als Zeichen der Reue, falls die Gabe als Entschuldigung gedacht war. Verwerflich wird es erst, wenn der materielle Aspekt oder Berechnung in den Vordergrund treten, egal auf welcher Seite.

Ob sich etwas an der Zu- oder Abneigung gegenüber Ihrem Ex geändert hat, können nur Sie selbst wissen. Aber auch wenn das nicht der Fall ist, mit den Gutscheinen hat er sich Platz in Ihrem Bewusstsein verschafft: Sie denken beim Blick in den Spiegel an ihn und darüber nach, ob Sie sich haben kaufen lassen. Warum, das betrifft mehr die Emotionen als die Moral, deshalb habe ich eine Psychologin befragt. Die riet, angesichts einer solchen Assoziation darüber nachzudenken, ob die Käuflichkeit nicht schon länger, vielleicht auch während der Beziehung, ein Thema für Sie war.

Müssen Sie sich nun graue Haare wachsen lassen? Moralisch sehe ich keinen Grund dafür, solange Sie Ihr Verhalten nicht allein des Geldes wegen ändern. Nur ob Sie mit der gesponserten Frisur glücklich werden, da habe ich Bedenken. Und vielleicht hätte es umgekehrt sogar etwas Reinigendes, wenn Sie die schon bezahlten Gutscheine absichtlich verfallen lassen.

NICHT OHNE MEINE TOCHTER

Ich bin seit drei Jahren geschieden und Vater einer sechsjährigen Tochter. Wenn Frauen, die ich kennenlerne, erfahren, dass ich »mit Anhang« bin, sind sie oft gar nicht mehr an mir interessiert oder deswegen besonders. Deshalb habe ich beschlossen, zunächst nichts von meiner Tochter zu erzählen, da ja bei einer Beziehung die Partner im Vordergrund stehen sollten. Nun plagt mich das Gewissen: Hintergehe ich jemanden, wenn ich erst später damit herausrücke, womöglich nach ersten sexuellen Kontakten? KLAUS K., FULDA

Natürlich träumt jeder davon, um seiner selbst willen geliebt zu werden. Nur wegen seiner schönen Augen, ja nicht einmal deretwegen, sondern sozusagen seelisch nackt, einfach als Mensch an sich. Würde dieser Wunsch allgemeine Realität, führte er zwar mit ziemlicher Sicherheit zum Konkurs so manches Sportwagenherstellers und Modeunternehmens; er zeigt aber auch, dass sich ohne äußere Umstände darzustellen nicht unehrlich, sondern umgekehrt besonders ehrlich ist.

Nur, was sind innere und was äußere Umstände? Bei Sportwagen und edler Kleidung kann man eine Trennlinie zum Besitzer ziehen, hinter der bei manchem freilich wenig bleibt.

Im Falle Ihrer Tochter liegt es anders, sie ist untrennbarer Teil Ihres Lebens und einen solchen absichtlich zu verschweigen eine kleine Täuschung. Darf man die nutzen auf dem Weg zur wahren Liebe?

In Francesco Cavallis Barockoper *La Calisto* rät Merkur dem Jupiter, sich als Diana zu verkleiden, um die Titelheldin zu gewinnen: »Nehmt eure Zuflucht zum Schwindel, denn der trügerische Liebhaber gewinnt.« Dies dient allerdings mehr den amourösen Gelüsten des Göttervaters denn großer Liebe, wie auch sonst Merkurs Ratschläge von zweifelhafter Moral sind: »Nicht zu retten / ist der Gatte, / der die Regelung seiner Gelüste / seiner Frau überlassen müsste.« Doch auch Jupiter entwickelt bei der Täuschung so etwas wie echte Gefühle: Er verschafft Calisto am Ende einen Platz als Sternbild am Firmament, nachdem diese alles ausbaden musste, von der eifersüchtigen Gattin Juno in eine Bärin verwandelt.

Die Engländer sehen es zielorientiert, sie haben ein sehr gängiges Sprichwort: »All is fair in love and war«, das gute Ziel zählt, nicht umsonst ist der Utilitarismus, die Nützlichkeitsethik, eine britische Erfindung. Wenn ich auf das Ergebnis schaue, komme ich jedoch zu einem anderen Schluss: Selbst wenn die Liebe entbrennt, als absichtlich spät Eingeweihte käme ich mir immer getäuscht, schlimmer noch, geprüft vor. Und das hinterließe bei mir ein unschönes Gefühl.

Francesco Cavalli, *La Calisto*, Dramma per musica. Libretto von Giovanni Faustini. Uraufführung am 28. November *1651* im Teatro Sant'Apolinare, Venedig. Münchner Erstaufführung am 9. Mai 2005 im Nationaltheater. Die Zitate aus dem I. Akt 6. Auftritt bzw. 2. Akt 9. Auftritt entstammen der deutschen Übersetzung von Liesel B. Sayre

PAPIER SCHNEIDET SCHERE

Wenn mein Mann und ich uneins sind, wer zum Beispiel die Blumen gießen oder die Wäsche aufhängen muss, spielen wir das bekannte Kinderspiel »Schere, Stein, Papier«, bei dem man mit der Hand Symbole formt, die einander besiegen. Die so gefundene Entscheidung wird dann anstandslos akzeptiert. Nun fängt mein Mann, seit ich ihn kenne, immer mit Schere an. Ich kann also stets über Sieg oder Niederlage entscheiden und so unliebsame Ergebnisse abwenden. Muss ich meinen Gatten auf seine Berechenbarkeit hinweisen, oder kann ich weiterhin alle Spiele für mich entscheiden?

ULRIKE R., BERLIN

Interessanterweise wird das von Ihnen geschilderte Kinderspiel »Schere, Stein, Papier« auch in der Spieltheorie verwendet, jenem Analyseinstrument für Interaktionen, das mit etlichen Nobelpreisen geadelt wurde. Da zwei Personen beteiligt sind, der Gewinn des einen den Verlust des andern darstellt und beide Spieler sowohl die eigenen wie auch die gegnerischen Möglichkeiten und Präferenzen kennen, handelt es sich in dieser Terminologie um ein »endliches Zweipersonen-Nullsummenspiel mit vollständiger Information«.

Nach dem Fundamentalsatz des ungarisch-amerikanischen Mathematikers John von Neumann, der die Spieltheorie begründete, gibt es für jedes dieser Spiele ein Gleichgewicht, von dem abzuweichen sich für keinen der beiden Teilnehmer lohnt. Dieses Gleichgewicht lässt sich durch sogenannte gemischte Strategien erreichen. Die optimale Strategie wäre in diesem Fall streng zufällig, also mit einer Wahrscheinlichkeit von je einem Drittel, Schere, Stein oder Papier zu zeigen. Wer das tut, kann auf Dauer nicht verlieren. Ihr Mann dagegen verfolgt eine reine Strategie, wenn er immer Schere zeigt, und verliert dabei ständig – zumindest im Spiel.

Wie kann das sein? Voraussetzung des Modells ist unter anderem, dass sich die Spieler rational verhalten und beide wissen, welchen Stellenwert das Ergebnis beim anderen jeweils hat. Entweder Ihr Mann handelt gelinde gesagt völlig irrational, oder Sie haben nicht alle Informationen über seine Präferenzen, über das, was er wirklich erreichen will. Solange Ihr Mann halbwegs bei Verstand ist, halte ich Letzteres für wesentlich wahrscheinlicher – mit einer interessanten Konsequenz: Während Sie glauben, ihn zu manipulieren, manipuliert in Wirklichkeit er Sie. Aber offenbar hat sich das bei Ihnen gut eingespielt.

Das klassische Werk zur Spieltheorie ist: JOHN VON NEUMANN, OSKAR MORGENSTERN, *Theory of Games and Economic Behaviour*, Princeton 1944, deutsche Übersetzung *Spieltheorie und wirtschaft-*

liches Verhalten, Physika Verlag 1961, beide leider nur mehr antiquarisch erhältlich.
Eine hervorragende Einführung bietet das packend zu lesende Buch von LÁSZLÓ MÉRÖ *Die Logik der Unvernunft – Spieltheorie und die Pychologie das Handelns,* 4. Auflage, Rowohlt Taschenbuch Verlag 2004.

PAARE, PASSANTEN

Nach zwei Jahren Trennung bin ich seit einem Jahr wieder »normal« mit meinem Ex befreundet ohne jegliches erotisches Interesse. Wir verstehen uns sehr gut, er ist nach wie vor einer der wichtigsten Menschen in meinem Leben. Wenn er mich in München besucht, schläft er aus Platzmangel sogar mit mir in einem Bett. Jetzt habe ich eine neue Liebesbeziehung. Beide wissen noch nichts voneinander, und ich habe ein schlechtes Gefühl. Muss mein neuer Partner den engen Kontakt zu meinem Exfreund akzeptieren? Oder sollte ich aus Respekt zum Neuen die intensive Freundschaft zu meinem Ex zurückfahren? ULRIKE H., MÜNCHEN

Was zeichnet denn eine Liebesbeziehung, eine echte Partnerschaft aus? Sex? Kann man auch anders bekommen, sogar gegen Geld. Gefühle? Gibt es viele, der eine liebt sein Land, der andere seine Frau. Zeit, die man zusammen verbringt? Wer Paare auseinanderbringen will, steckt sie im Urlaub bei strömendem Regen in ein Hotelzimmer. Gemeinsamkeiten? Am meisten gemeinsam habe ich mit mir, und ich wäre der letzte Mensch, mit dem ich eine Beziehung wollte. Gegenseitiges Vertrauen? Da wird's schon heißer. Andererseits habe ich einmal den klugen Satz gehört, das Fehlen jeglicher Eifersucht sei der Tod jeder Beziehung. Alle diese Faktoren spielen mit hinein, sind mal wichtiger, mal weniger wichtig.

Eines aber stellt für mich den Dreh- und Angelpunkt dar: das unbedingte wechselseitige Zueinanderstehen. Erst mit ihm kann man von Liebe sprechen. Wie die Liebe muss es vielleicht mit der Zeit wachsen, jedoch von Anfang an angelegt sein. Dabei meine ich das »unbedingt« sehr wörtlich, also un-bedingt, ohne Bedingung, ohne möglicherweise geheimen Vorbehalt.

Genau da aber verorte ich Ihr Problem: Sie haben so einen Vorbehalt, wenn Sie mit Ihrem früheren Freund derart vertraut sind, dass Sie es Ihrem neuen Partner nicht einmal zu sagen wagen. Und ganz so abgeklärt, wie Sie behaupten, kann auch das Verhältnis mit dem Ex nicht sein, wenn Sie zögern, ihm von Ihrer neuen Liebe zu berichten.

Natürlich können Sie weiterhin Kontakt mit Ihrem Ex haben. Sie sollen Ihr bisheriges Leben nicht aufgeben oder verleugnen. Nur: So wie Sie es beschreiben, wollen Sie Bereiche in Ihrem Herzen exklusiv für den Verflossenen reservieren. Das aber geht nur im Rahmen der Erinnerung. Die Liebe, die war, kann immer noch sein, aber als etwas, was war, und nicht als etwas, was ist. Sonst belügen Sie sich und die beiden anderen. Apropos belügen: Dass Sie das alles ohnehin offenlegen müssen, brauche ich doch nicht extra zu erwähnen?

ICH WEISS ETWAS, WAS DU NICHT WEISST

Meine beste Freundin ist schon lange mit ihrem Freund zusammen. Nun habe ich letzte Woche erfahren, dass der Freund sie häufig betrogen hat. Eigentlich bin ich der Meinung, er solle es ihr selbst sagen, aber ich kenne ihn gut und bin sicher, dass er es von allein nicht tun wird. Soll ich ihn dazu zwingen? Habe ich das Recht, mich in die Beziehung einzumischen, und es meiner Freundin selbst zu sagen?

ARIANE T., BERLIN

Gemessen an der Zahl der Zuschriften scheint das Reden über Seitensprünge mehr Gewissensprobleme zu bereiten als der Vorfall selbst – in unterschiedlichen Konstellationen. Vor einiger Zeit sah ich in einem sozusagen spiegelbildlich gelagerten Fall – die beste Freundin hatte eröffnet, ihren Partner betrogen zu haben – die Vertrauensperson einem Beichtvater gleich verpflichtet, über das ihr im Freundschaftsverhältnis Anvertraute zu schweigen. In Ihrem Fall dagegen halte ich Sie für verpflichtet zu handeln, gegebenenfalls Ihre Freundin zu informieren.

Warum? Dreh- und Angelpunkt ist in beiden Fällen die Freundschaft. Der Zürcher Moralphilosoph Anton Leist zieht sie in seiner *Ethik der Beziehungen* als Modell für moralische Beziehungssysteme in der Gesellschaft heran. Für ihn ist sie nicht zu erhalten ohne das Befolgen bestimmter Pflichten, etwa die Hilfe nicht nur in Notsituationen oder das vertrauensvolle Gespräch. An dieser Stelle möchte ich einhaken: Ebenso wie man das innerhalb der Freundschaft Anvertraute für sich behalten muss, besteht die Pflicht, einer Freundin etwas mitzuteilen, wenn es für deren Leben Bedeutung hat. Einem vertrauten Menschen eine wichtige Information absichtlich vorzuenthalten wäre für mich eine Unaufrichtigkeit. Ihre Freundin mit Bedacht im Unklaren zu lassen, hieße sich anzumaßen, an ihrer Stelle über die Folgen zu entscheiden, im Endeffekt, sie zu entmündigen. Andererseits gibt es ein Recht auf Nichtwissen; Ihre Freundin darf sich der Information verschließen, auch das gehört zur Autonomie.

Ihre sicherlich nicht leichte Aufgabe sehe ich demnach darin, sich keinesfalls »taktvoll« herauszuhalten, sondern ihr mit dem Einfühlungsvermögen eines eng vertrauten Menschen – Ihre beste Freundin sollten Sie gut kennen – die Information klar anzubieten, aber nicht aufzudrängen. Tun Sie nichts oder gehen Sie zu brachial vor, nehmen Sie ihr Chance und Recht, wichtige Aspekte ihres Lebens selbst zu bestimmen.

ANTON LEIST, *Ethik der Beziehungen,* Akademie Verlag 2005. Leist vertritt in diesem Buch die Auffassung, dass man das, was wir üblicherweise »Moral« nennen, nicht im theoretischen Raum der

Normen und Werte suchen sollte, sondern in den konkreten sozialen Beziehungen und ihren Möglichkeiten und Formen. Die Moral sei eine interne Eigenschaft der Beziehungen, nicht eine von außen einschränkende Vorgabe durch Regeln. Deshalb seien detaillierte Beobachtungen an den sozialen Beziehungen immer auch moralische Beobachtungen.

Das große Fressen oder: Vom Umgang mit der Natur

WER DRAN GLAUBEN MUSS

Unterwegs in Aserbaidschan wurden wir auf einen Hof eingeladen. Wir sollten entscheiden, was zum Essen geschlachtet wird. Eine Ziege? Ein Schaf? Aus Mitleid wählten wir Huhn, worauf zwei Tiere ihr Leben lassen mussten. War es richtig, das Leben eines Schafes über das zweier Hühner zu stellen? Oder hätten wir ganz auf Fleisch verzichten sollen? Damit hätten wir zwar die Tiere vorübergehend gerettet, allerdings unsere Gastgeber beleidigt. UTE UND PAUL P., KÖLN

Um es gleich vorweg zu sagen: Eine allgemeingültige Empfehlung kann ich Ihnen nicht geben; trotz persönlicher Sympathie für vegetarische Ernährung erachte ich die Frage, ob und welche Tiere man isst, bei artgerechter Haltung für ein Problem der individuellen Einstellung: Wir verwöhnen Hunde, in anderen Ländern diese den Gaumen. In Indien gelten Kühe als heilig, in Argentinien als Hauptnahrungsmittel. Manche Religionen sehen in Schweinebraten eine Sünde, Bayern ist er eine solche wert. Das alles betrifft mehr Traditionen denn Wahrheiten. Auch Ihr Mitleid scheint mir kein Hindernis. Meiner Ansicht nach muss man kein Tier töten können, wenn man Fleisch essen will. Schließlich darf sich auch derjenige am Blinddarm operieren lassen, der kein Blut sehen kann.

Ein weiterer Aspekt entspringt der Theorie: Vermutlich unbewusst haben Sie nach Kriterien des Utilitarismus entschieden, welchen der englische Philosoph Jeremy Bentham so definierte: »Unter dem Prinzip der Nützlichkeit ist jenes Prinzip zu verstehen, das schlechthin jede Handlung in dem Maß billigt oder missbilligt, wie ihr die Tendenz innezuwohnen scheint, das Glück der Gruppe, deren Interesse in Frage steht, zu vermehren oder zu vermindern.« Bentham, der ausdrücklich auch Tiere mit berücksichtigen wollte, versuchte, dafür detaillierte Regeln zu formulieren; Freude und Leid seien nach Intensität, Dauer, Gewissheit, Nähe, Ausmaß und Weiterem zu bewerten und mit der Anzahl der Betroffenen zu multiplizieren. Sie haben in diesem Sinne nach Ihrem Gefühl versucht, möglichst wenig Unglück zu produzieren, dabei blieben Fragen offen: Darf man ein Leben gegen zwei aufrechnen? Wie wird gerechnet, nicht nur bei Hühnern, Schafen, Ziegen? Dass er derartige Probleme aufwirft, ist einer der Hauptkritikpunkte am Utilitarismus, das spricht aber nicht unbedingt gegen Ihre Entscheidung in diesem Fall – wie immer sie auch ausfiel.

Jeremy Bentham, *An Introduction to the Principles of Moral and Legislation,* Dover Puplications, 2007. Eine deutsche Übersetzung findet sich in dem von Otfried Höffe herausgegebenen Band *Einführung in die utilitaristische Ethik*, 4. Auflage, Francke Verlag/ UTB 2008.

Ebenfalls empfehlenswert ist das Kapitel »Der Utilitarismus« in dem Buch *Einführung in die Ethik* von HERLINDE PAUER-STUDER WUV / UTB 2003.

DAS IST JA SCHIEBUNG

Ich lebe aufgrund meiner Erziehung äußerst umweltbewusst und verzichte nicht nur aus wirtschaftlicher Notwendigkeit, sondern auch aus Überzeugung auf ein Auto. Eines kalten verschneiten Abends, ich war trotzdem mit dem Fahrrad unterwegs, bat mich die junge Besitzerin eines Luxusautomobils in etwas arrogantem Ton, ihr zu helfen, das feststeckende Fahrzeug aus einer Schneewehe zu schieben. Hätte ich unter Hinweis auf die Rücksichtslosigkeit gegenüber Umwelt und armen Menschen, die zum Betrieb eines überdimensionierten Autos gehört, die Unterstützung verweigern und der Dame so eine anschauliche moralische Lektion erteilen dürfen?

KARL K., BERCHTESGADEN

Der Reihe nach: Zweifellos haben Sie, was den Umgang mit der Natur angeht, moralisch einen Vorsprung. Ohne Ressourcenverbrauch ausschließlich mit dem Fahrrad zu fahren, ist eine wunderbare Sache. Und zu einem überdimensionierten und deshalb vielleicht besonders spritfressenden Auto ist der Kontrast noch größer.

Auf der anderen Seite steht ein hilfebedürftiger Mensch, den Sie ohne großen Einsatz aus seiner Notlage befreien können. Das zu tun ist im Prinzip geboten, solange nicht gewichtige Gründe etwas anderes fordern. Hier könnten das sein: Grundsatzerwägungen, der arrogante Ton und die zu erteilende Lektion.

Erstens die Grundsatzerwägung: Natürlich kann niemand von Ihnen verlangen, dass Sie den Betrieb eines Ihnen so verhassten Autos fördern. Aber auch wenn Sie buchstäblich Vorschub leisten, scheint mir Ihr Beitrag hier vergleichsweise klein zu sein. Er besteht zudem aus umweltfreundlicher Muskelkraft, und Sie spendieren der Fahrerin keine Tankfüllung. Zweitens der arrogante Ton: Solange er vorherrscht, kann die Not nicht wirklich groß sein. Wahre Not lässt keinen Raum für Arroganz. Wäre das Ihr Hauptbeweggrund, nicht zu helfen, käme man ins Grübeln.

Sie aber treibt das Dritte: Sie wollen eine »Lektion« erteilen. Das mochte ich schon im Lateinunterricht nicht, und außerhalb davon halte ich es für etwas noch Grässlicheres. Wer damit anfängt, muss es anderen von ihrer Meinung Überzeugten auch gestatten. Darf man also dem störenden Raucher Wasser ins Gesicht schütten oder den verkehrswidrig strampelnden Radfahrer absichtlich umfahren? Ich finde nicht.

Deshalb: Richtiges eigenes Verhalten, ja. Hilfssheriff-Mentalität, nein danke!

DAS GROSSE FRESSEN

Als Kinder mussten wir zu Hause selbst härtestes Brot aufessen, weil es als Sünde galt, Lebensmittel wegzuwerfen. Heute schmeiße ich selbstverständlich Nahrung in den Müll, teilweise solche, die wesentlich frischer ist als jene, die ich als Kind noch essen musste. Aber mich packt dabei jedes Mal das schlechte Gewissen, sodass ich es immer heimlich tue und meinen Kindern sage: Lebensmittel darf man nicht fortwerfen. Wissen Sie einen Ausweg aus dem Dilemma?

FRANZISKA L., MÜNCHEN

Wenn das halbe Abendessen in den Müll wandert, haben wohl die meisten Menschen ein schlechtes Gewissen. Will man dieses Gefühl jedoch nicht allein mit Erinnerungen an Lehrsätze der Kindheit begründen, so kommt man schnell ins Grübeln und landet schließlich bei der zugespitzten Frage: Was hat das Schnitzel davon, dass es gegessen wird? Ist das moralische Verbot der Vernichtung von Lebensmitteln reine Überlieferung oder Folge unserer Wertvorstellungen?

Es stammt aus einer Zeit, in der noch kein Überfluss, sondern Mangel an Nahrung herrschte, und wurde im letzten Jahrhundert sicherlich durch die Not der Weltkriege neu bekräftigt. In diesem Umfeld hat es seine Berechtigung, denn keine Lebensmittel wegzuwerfen ist auf jeden Fall dann geboten, wenn man sie auch jemandem geben kann, der sie als Mittel zum (Über-)Leben bräuchte. Dies ist auch der Gedanke, der hinter den achtenswerten Initiativen steht, in Supermärkten und Restaurants nicht mehr benötigte Lebensmittel für Bedürftige zu sammeln. Man muss allerdings zugeben, dass die Entgegnung »Dann schick das Schnitzel doch nach Afrika!« bei allem Zynismus einen wahren Aspekt aufzeigt. Wenn die Versendung in Hungerzonen ebenso wie die organisierte Weitergabe hierzulande ausscheidet, kann die Hilfe für den Darbenden die halbe Wurst nicht vor dem Mülleimer bewahren. Im Gegenteil: Das dahinterstehende Prinzip, Schaden von möglichst vielen Menschen abzuwenden, würde es dem Übergewichtigen sogar verbieten, seinen Teller leer zu essen oder ihn seinem ebenso fehlernährten Tischnachbarn zuzuschieben.

Ich bin deshalb der Meinung, dass Sie sich nicht falsch verhalten, wenn Sie gelegentlich Essen wegwerfen. Auch weil Sie die Regel, die trotz allem ihre Berechtigung hat, an Ihre Kinder weitergeben. Denn bei all dem Hunger auf der Welt sollte man Nahrungsmitteln eine gewisse Achtung entgegenbringen.

BLÜTENLESE

Im Frühling bereite ich mir gelegentlich ein aromatisches Getränk aus frischen Holunderblüten zu. Dafür schneide ich auf dem Heimweg durch den Englischen Garten hin und wieder ein paar Zweige ab. Bisher immer ohne schlechtes Gewissen, bis mich in diesem Jahr ein Passant ansprach und mich bat, dies zu unterlassen, andere Leute hätten vielleicht Interesse an den daraus reifenden Beeren. Muss ich zugunsten der Beerensammler ganz auf Holunderblüten verzichten, darf ich ein kleines bisschen sammeln, oder ist es strikt verboten, sich Blüten oder Beeren anzueignen – und damit wohl auch Bärlauch, Kastanien und alles, was sonst noch im Park wächst? MARIA K., MÜNCHEN

Was für einen Segen es doch manchmal bedeutet, in Bayern zu leben! Die Verfassung des Freistaats gewährt nämlich ausdrücklich das Recht, sich in der Natur zu versorgen: »… die Aneignung wildwachsender Waldfrüchte in ortsüblichem Umfang ist jedermann gestattet.«

Nun sind Sie ja auf Blüten aus und nicht auf Früchte. Ein Einwand, den ein geübter Jurist leicht beiseitewischen könnte, etwa mit einem Satz in der Art: Als Früchte im Sinne der Bayerischen Verfassung gelten auch Holunderblüten.

Schließlich geht es ja weniger um Botanik als vielmehr um das Verzehren. Und tatsächlich sehe ich auch rein logisch keinen Vorrang des Beerenvertilgers gegenüber dem Blütenfreund. Es liegt in der Natur der Sache, dass man die genießbaren Teile des Holunderbusches nur einmal verspeisen kann; nehmen Sie die Blüten, muss der Beerensammler verzichten, nimmt sich jemand die Beeren, geht das nur, wenn Sie vorher verzichten.

Ihr Vorteil, dass Sie zuerst dran sind, hat aber auch eine Kehrseite: Sie müssen verantwortlich handeln. Nicht umsonst fährt die Bayerische Verfassung fort: »Dabei ist jedermann verpflichtet, mit Natur und Landschaft pfleglich umzugehen.« Dieser Gedanke führt meiner Meinung nach zur Lösung: Man kann ohnehin seine Zweifel haben, ob es in einem Gartenkunstwerk wie dem Münchner Englischen Garten überhaupt etwas »Wildwachsendes« geben kann. Auf jeden Fall aber muss man die Besucherdichte bedenken. Durch diesen Park inmitten einer Großstadt kommt nicht nur alle paar Tage ein Blumen und Beeren pflückendes Rotkäppchen, er zählt dreieinhalb Millionen Flaneure jährlich. Und wenn man sich alles, was man dort unternimmt, einfach kurz mit 3 500 000 multipliziert vorstellt, kommt man automatisch zum richtigen Verhalten.

Verfassung des Freistaates Bayern
Artikel 141
(3) Der Genuss der Naturschönheiten und die Erholung in der freien Natur, insbesondere das Betreten von Wald und Bergweide, das Befahren der Gewässer und die Aneignung wildwachsender Waldfrüchte in ortsüblichem Umfang ist jedermann gestattet. Dabei ist jedermann verpflichtet, mit Natur und Landschaft pfleglich umzugehen....

FLUGSCHADEN

Obwohl ich mich seit meiner Jugend politisch dafür einsetze, das Fliegen aus Klimaschutzgründen zu verteuern, profitiere ich nun von den stark gesunkenen Preisen für Flugtickets und fliege häufig recht günstig von Berlin nach Bonn. Dabei verhalte ich mich doch nur demokratisch: Ich akzeptiere die Mehrheitsentscheidung, die Fliegerei nicht zu verteuern, und nutze dann die Möglichkeiten, die sich daraus für mich als Individuum ergeben, obwohl ich eigentlich anderer Meinung bin. Oder sehe ich das falsch? Muss ich allein leiden, obwohl die Mehrheit dies nicht tut? HOLGER L., BERLIN

Sie tragen vermutlich einen Vollbart. Nicht dass ich ein pauschales, vorurteilbeladenes Bild davon hätte, wie ein Umweltaktivist auszusehen hat. Ich unterstelle Ihnen schließlich auch keine groben Wollsocken in Birkenstock-Sandalen oder ähnliche Attribute aus der Frühzeit der Naturschutzbewegung. Nein, ich vermag mir schlicht und einfach nicht vorzustellen, wie Sie sich rasieren. Dazu müssten Sie schließlich in den Spiegel schauen, und dass Ihnen das noch problemlos gelingt, will ich nicht glauben.

Sie merken schon, so ganz kann ich Ihrer Argumentation nicht folgen. Wo ist also der Fehler, wo das Unmoralische?

Sich für den Klimaschutz einzusetzen, ist sicherlich hochanständig, das kann es nicht sein. Ist es unmoralisch zu fliegen? Auch das würde ich so nicht behaupten wollen, wenngleich ich bei Inlandskurzstrecken schon ins Grübeln komme. Aber selbst wenn, auf jeden Fall wiegen die Flüge zwischen Bonn und Berlin nicht so schwer, dass Sie fortan Ihr Spiegelbild scheuen müssten. Wirkt sich das Fliegen auf Ihr Engagement für den Klimaschutz aus? Womöglich sogar positiv, wenn Sie es dadurch effektiver betreiben können. Aber kann Ihr Engagement davon böse werden? Nein, es bleibt ein hehres Ziel, das von Ihnen keineswegs mit unlauteren Mitteln verfolgt wird.

Wo also liegt das Problem? Offensichtlich weder in dem einen noch im anderen, sondern dazwischen: in seiner Verbindung, und die sind Sie! Es geht weniger um Ihre Handlungen als um Sie persönlich. Der Konflikt entsteht daraus, dass Ihr Anliegen und Ihr Tun diametral auseinanderfallen. Das macht Sie nicht nur unglaubwürdig; vor allem sind Sie dabei unehrlich gegenüber sich selbst, und das belastet den Blick in den Spiegel.

Sie haben bestimmte moralische Vorstellungen. An diesen und nicht an Mehrheiten müssen Sie Ihr Handeln ausrichten. Staat und Gesellschaft stecken nur den Rahmen ab, in dem wir uns bewegen dürfen. Ihre individuelle Position innerhalb dieses Rahmens müssen Sie eigenständig wählen und verantworten, auch und gerade gegenüber sich selbst.

DAS KANN MAN SICH SPAREN

Neulich wollte ich Toastbrot kaufen. Als Single reichen mir kleine Packungen. Im Laden gab es die kleinen 250-Gramm-Packungen für 99 Cent, zu genau dem gleichen Preis aber auch die großen 500-Gramm-Packungen. Soll ich nun das große Gebinde nehmen und höchstwahrscheinlich die Hälfte des Toastbrots, das ja schnell schimmelig wird, wegwerfen? Oder soll ich die kleine Packung kaufen und mir dabei ziemlich dämlich vorkommen? Wie finde ich aus dieser Zwickmühle heraus? ANDREAS F., BREMERHAVEN

Mit Schaudern muss ich bei Ihrer Frage an ein Muschelessen denken, das wir vor vielen Jahren (wir waren jung und hatten nicht viel Geld) im Freundeskreis veranstalteten. Zwei von uns übernahmen den Einkauf. Zufälligerweise gab es an diesem Tag im Fischmarkt ein Angebot von Muscheln im Zehn-Kilo-Sack, das deutlich günstiger war als die benötigten drei Kilogramm im offenen Verkauf, und so erstanden die beiden kurzerhand das Großgebinde. Der Sack war nicht nur schwer und unhandlich, er tropfte auch fischig riechend, deshalb verbannte man ihn in die Dusche der Gastgeberin. Dort stand er am Ende des Abends immer noch, nur zum kleinen Teil geleert. Was tun? Der Wein beflügelte Überlegungen, die

Schalentiere einer befreundeten Gastronomin zu überlassen, zwecks Weiterverarbeitung zu Muschelleberkäse und Muschelcroissants. Dies ging zwar unter dem Schlagwort »Muschelwochen bei …« in die Annalen ein, scheiterte aber – zu Recht – an den Qualitätsmaßstäben und der Wirtinnenehre unserer Freundin. Am Ende ließen wir die angebrochene Großpackung dort, wo sie war, nämlich im Badezimmer der Gastgeberin. Die jedoch wollte sich ihren Sanitärbereich nicht längerfristig mit immer intensiver riechenden Meeresbewohnern teilen und wusste sich bald nicht mehr anders zu helfen, als das ganze Malheur am ausgestreckten Arm in die Mülltonne zu verfrachten; was übrigens wegen der verendeten Tiere nicht nur heftige Gewissensbisse bei den Beteiligten, sondern, ob der Geruchbelästigung, auch lautstarke Beschwerden der übrigen Hausbewohner zur Folge hatte. Wir haben damals alle daraus gelernt, dass es falsch ist, aus Sparsamkeitsgründen mehr Lebensmittel zu kaufen als benötigt. Die Muscheln mussten für unsere Erkenntnis mit einem sinnlosen Ende in der Abfalltonne bezahlen. Liebe Leser, bitte lassen Sie diesen Märtyrertod nicht umsonst gewesen sein und halten Sie sich an diese Regel.

ERPELEIEN

Beim Spaziergang habe ich beobachtet, wie ein großer Erpel eine Ente im Beisein ihres Partners vergewaltigte. Die Ente selbst versuchte wiederholt zu entkommen, und auch ihr Partner, wesentlich kleiner und schmächtiger als der Aggressor, konnte trotz verzweifelter Gegenwehr die Vergewaltigung nicht verhindern. Im Wissen, dass Enten eine monogame Beziehung führen, war ich im Konflikt, ob hier ein Eingreifen angebracht ist. ANDREA A., MÜNCHEN

Eine Vergewaltigung ist eines der verabscheuungswürdigsten Verbrechen. Nichts dagegen zu unternehmen wäre unverzeihlich. Soweit es sich um Menschen handelt, kann hier nicht der geringste Zweifel bestehen. Aber gilt das auch für Tiere? Meiner Ansicht nach nicht.

Dies liegt nicht daran, dass ich Tieren keine Leidensfähigkeit zugestehen wollte oder dass der Mensch nicht die Verpflichtung hätte, Leid bei Tieren zu vermeiden. Man muss hier jedoch zunächst die moralische Qualität des Vorgangs als solchen betrachten und dann die des möglichen Eingreifens. Vergewaltigungen, im Tierreich auch »Zwangsbegattungen« genannt, kommen dort häufig vor, auch bei den, wenn vielleicht nicht völlig monogam, aber zumindest in Saisonehen lebenden Enten.

Es besteht jedoch ein großer Unterschied zu dem Verbrechen unter Menschen: Der Erpel handelt nicht »böse« oder »unmoralisch«. Diese Begriffe sind menschlichem Handeln vorbehalten. Erst die Möglichkeit des Menschen, zwischen Richtig und Falsch zu entscheiden, erlaubt es, wie der Göttinger Anthropologe Christian Vogel betont, einem Handeln eine moralische Qualität zuzuschreiben. Die Natur kann unendlich grausam sein, böse jedoch nicht; sie ist in den Worten des englischen Biologen T. H. Huxley »moralisch indifferent«.

Naturfilme zeigen oft ein Schlachten und Fressen, das zwar äußerst blutrünstig abläuft, aber als »natürlich« hingenommen und gern beobachtet wird. Das Töten eigener oder fremder Kinder, der Infantizid zur Verbesserung der eigenen Fortpflanzungschancen, ist im Tierreich weit verbreitet. Die Schimpansenforscherin Jane Goodall berichtet davon, wie eine sozial hochrangige Schimpansenmutter die Babys niedrig stehender Mütter auffraß – unklar, ob aus Ernährungs- oder Konkurrenzgründen. Bei den Hanuman-Languren, einer indischen Affenart, die in Haremsstrukturen leben, töten neue Haremschefs regelmäßig die Kinder ihrer Vorgänger, um die nun freien Weibchen anschließend selbst zu begatten. In solchen Fällen sträubt sich unser Empfinden, doch jedes Mal geht es letztlich um das biologische Ziel der Weitergabe der eigenen Gene. Wer dies verurteilt, überträgt menschliche Maßstäbe unzulässigerweise auf das Tierreich.

Aber könnte nicht auch ein ethisch neutrales Unglück ein Eingreifen erfordern – wie dieses auch immer aussehen mag bei einem triebtollen Erpel in der Teichmitte? Eine derartige Forderung bei einem evolutionär entwickelten Verhalten aufzustellen hieße jedoch, sich als Mensch eine Korrekturfunktion in der Evolution anzumaßen. Der Mensch muss, da er selbst zu moralischem Handeln in der Lage ist, zwar seinen eigenen Einfluss auf die Umwelt verantworten; eine Verantwortung für die gesamte Natur zu übernehmen wäre hingegen schlicht vermessen.

Allerdings lässt mich ein Aspekt zögern. Immanuel Kant fordert richtiges Verhalten gegenüber Tieren, weil, wer grausam gegenüber Tieren sei, dies dann auch leichter gegenüber Menschen werde. Sollte das auch für das Zusehen gelten, wenn etwa derjenige, der einer Vergewaltigung unter Enten teilnahmslos beiwohnt, damit den Abscheu gegenüber diesem Verbrechen unter Menschen verliert, wäre ein Eingreifen absolut notwendig.

CHRISTIAN VOGEL, *Vom Töten zum Mord – Das wirklich Böse in der Evolutionsgeschichte*, Carl Hanser Verlag 1989
Informationen zum Paarungsverhalten der Enten finden sich im 14-bändigen *Handbuch der Vögel Mitteleuropas*, herausgegeben von Urs N. Glutz von Blotzheim, Kurt M. Bauer und Einhard Bezzel, Band 2, Anseriformes, Aula Verlag 1990.
Ausführungen zum Thema Vergewaltigung im Tierreich finden sich in: ECKART VOLAND, *Grundriss der Soziobiologie*, Spektrum Akademischer Verlag 2000 auf S. 177–182.
Die Ausführungen Kants finden sich in *Eine Vorlesung über Ethik*, hrsg. von Gerd Gerhardt, Fischer Taschenbuch Verlag 1990.

Stimmt so? oder: Geld ausgeben, aber richtig

ZWEIKAPPENGESELLSCHAFT

Beim Pfarrfest in unserer Kirchengemeinde zahlen die Kinder für Attraktionen, indem sie sich Kappen für zwei Euro kaufen. Wer eine trägt, darf überall mitmachen. In unserem Viertel ist der Reichtum ungleich verteilt. Die Kinder aus den »guten« Straßenzügen kaufen die Kappen, jene aus den sozialen Brennpunkten oft nicht. Am Karussell ließ ich zunächst die »Problem«-Kinder ohne Kappe fahren, weil sie ja definitiv ärmer sind. Das ging nicht lang gut: Die Kinder mit Kappe kamen sich ungerecht behandelt vor. Nun frage ich mich: Welcher Wert wiegt höher? Die Gerechtigkeit oder die Nachsicht gegenüber den wirtschaftlich Schwächeren?

CHRISTA R., BERLIN

In Platons *Der Staat* antwortet Sokrates auf die Frage des Glaukon nach dem Wesen der Gerechtigkeit: »Meines Erachtens gehört sie zu dem Schönsten, nämlich zu dem, was sowohl um seiner selbst willen wie wegen der daraus entspringenden Folgen von jedem geliebt werden muss, der glücklich werden will.«

Beantwortet das auch Ihre Frage? Nur scheinbar, denn diese leidet an einem Fehler, welcher sie unbeantwortbar macht: Sie behauptet einen Gegensatz Gerechtigkeit versus Nachsicht, den es so nicht gibt. Der Philosoph Robert Spaemann betont, dass zur Gerechtigkeit neben der arithmetischen, also zahlenmäßigen Gleichheit (zwei Euro pro Kopf) und der Honorierung nach Leistung noch etwas gehört: die Verteilung gemäß den Bedürfnissen der Menschen, dass dem geholfen werden muss, der sich nicht selbst helfen kann. Dieses Prinzip sei, so Spaemann, durch das Christentum in die Welt gekommen.

Damit wären wir mitten im Pfarrfest. Wie viele Kinder kommen dort hin? Fünfzig? Gar hundert? Der Mützenverkauf erbringt also vielleicht 200 Euro. Sind die unverzichtbar? Und wenn ja: Sie schreiben, dass in Ihrer Pfarrei ein Wohlstandsgefälle bekannt ist, also auch ein wichtiges Thema darstellen sollte. Findet sich da niemand, seien es die Gemeinde, Sponsoren oder Privatpersonen, die bereit wären, diesen Betrag wenigstens teilweise zu übernehmen und so das Problem zu entschärfen? Hier sollen doch weder Gewinne gemacht noch Prinzipien hochgehalten werden, sondern man will sich schlicht amüsieren und die Gemeinschaft erleben. Und dazu gehört meines Erachtens auch, dass man derart vorhersehbare Fragen aufgreift, vor allem, wenn sie christliche Werte tangieren. Am besten, indem man sie gerade auch bei den Kindern thematisiert oder eben im Vorfeld löst. Versäumt man beides, helfen auch scharfsinnige ethische Überlegungen nicht weiter.

Platon, *Der Staat* (Politeia), 2. Buch, 357d–358a. Zu finden beispielsweise in Platon, *Sämtliche Werke,* Band 2, Rowohlt Taschenbuch Verlag 2004.
Robert Spaemann, *Moralische Grundbegriffe,* C.H. Beck Verlag 1999

ERLESENES

Neulich wollte ich ein Buch kaufen, das mir allerdings zu teuer erschien. Es war in einem großen Buchladen, wo es Sofas gibt, in denen die Leute in Büchern und Magazinen blättern können. Ich bin dann fünfmal dorthin gegangen und konnte so das Werk komplett durchlesen, ohne es zu kaufen. Das Buch habe ich nicht geklaut, wohl aber den Inhalt. Muss ich ein schlechtes Gewissen haben? GERD S., MAINZ

Kann man ohne Kopie, Raubdruck, Plagiat den Inhalt eines Buches klauen? Und ob!, wird mancher Jurist rufen, der sich damit bei einem ganz speziellen Buch unter Schlagworten wie Substanztheorie, Sachwerttheorie und Vereinigungstheorie herumplagen musste: Wer ein Sparbuch kurz an sich nimmt, zur Bank geht und das Geld abhebt, hat das ganze Buch gestohlen, auch wenn er es sofort zurückbringt – sagte schon das Reichsgericht. Maßgebend sei, dass der Täter sich »unter Anmaßung der Rechte des Eigentümers den im Sparbuch verkörperten Sachwert verschaffen und den Berechtigten davon auf Dauer ausschließen« wolle.

Gilt das auch, wenn Sie sich bloß den in einem normalen Buch verkörperten, intellektuellen Sachwert – dessen Inhalt – verschaffen? Vorab: Um echten Diebstahl geht es keinesfalls.

Sie haben das Buch niemandem weggenommen, nicht aus dem Laden geschafft. Außerdem war nach Ihrem Durchackern das Buch nicht leer, und Gebrauchsspuren hätte es auch beim intensiveren Blättern bekommen. Trotzdem haben Sie meines Erachtens so etwas wie intellektuellen Diebstahl begangen.

Zu diesem Schluss kommt man, wenn man überlegt, worin der »wirtschaftliche Gehalt« eines Buches besteht. Üblicherweise wird das die Summe des Interesses jedes einzelnen Lesers am Inhalt sein – ausgedrückt und in ökonomische Größen übertragen im »Akt des Kaufens«. Wenn Sie nun im Laden systematisch alles lesen und dadurch Ihr Interesse ohne Kauf befriedigen, berauben Sie das Buch in Bezug auf Sie selbst seines wirtschaftlichen Werts; und damit wären wir fast schon wieder beim Reichsgericht und dem abgeräumten Sparbuch.

Außerdem: Der nette Herr oder die nette Dame, die Ihnen das Buch unter dem Schild »Gerne können Sie in unserer Leseecke schmökern« in die Hand gedrückt haben, nennen sich Buchhändler und nicht Bibliothekare. Vermutlich mit Absicht, sie leben vom Verkaufen.

Entscheidungen des Reichsgerichts in Strafsachen (RGSt.) Band 26, S. 151, und Band 39, S. 239

STIMMT SO?

Uns plagt schon seit Langem die Frage nach dem Trinkgeld. Müssen wir ein schlechtes Gewissen haben, wenn wir einem Dienstleister (Bedienung oder Handwerker), mit dessen Service und Leistung wir zufrieden waren, nur ein kleines oder auch mal gar kein Trinkgeld geben? Die Gründe hierfür sind unterschiedlich: Entweder es ist gerade kein passendes Kleingeld im Geldbeutel vorhanden, und wir möchten den größeren Schein nicht anbrechen. Oder wir runden einfach auf den nächstmöglichen geraden Betrag auf.

ANNEMARIE UND CLAUS D., DÜSSELDORF

Sie können beruhigt sein. Gedanken müssten Sie sich nur machen, wenn Sie entweder aus verwerflichen Motiven handelten oder jemandem etwas vorenthielten, auf das er einen rechtlichen oder moralischen Anspruch hat. Beides ist hier nicht der Fall. Schon in der Diskussion um ihre Besteuerung wurden Trinkgelder meist als freiwillige Zuwendungen der Gäste bezeichnet. Und das Wörterbuch weist sie als kleine Geldgeschenke für erwiesene Dienste aus. Der Geschenkcharakter allein ist allerdings noch nicht entscheidend. In bestimmten Situationen kann es nämlich geboten sein, etwas zu schenken. So verbietet es das Wissen um die kindliche

Enttäuschung, dem gespannt wartenden Patenkind zum Geburtstag lediglich die besten Wünsche oder gar nur »ein Küsschen« mitzubringen. Und auch das Gesetz kennt Geschenke, »durch die einer sittlichen Pflicht oder einer auf den Anstand zu nehmenden Rücksicht entsprochen wird«.

Trotzdem bin ich der Meinung, dass Sie kein schlechtes Gewissen haben müssen. Nach wie vor ist die Gabe freiwillig. Die Enttäuschung erlangt – anders als beim Kind – kein Ausmaß, das zum Handeln zwingt. Und Ihre eigene Einstellung ist integer. Sie handeln richtig, wenn Sie dem, mit dessen Leistung Sie zufrieden waren, in der Regel ein Trinkgeld geben. Sie müssen aber auch keine Verrenkungen machen, wenn es gerade einmal nicht passt. Das können Sie ruhig auch so zum Ausdruck bringen, und der »Dienstleister« sollte das verstehen. Zwar hilft Ihr »Das nächste Mal« demjenigen wenig, der gerade Ihre neue Waschmaschine in den fünften Stock getragen hat: Er wird kaum dabei sein, wenn sie in zehn oder zwanzig Jahren ersetzt wird. Aber so wie Sie bei anderer Gelegenheit, wenn es passt, wieder etwas geben (das sollten Sie dann aber auch wirklich tun), erhält er beim nächsten Kunden wieder etwas. Damit gleicht sich alles aus. Und in Ihrem Stammlokal stimmt der Verweis auf den nächsten Besuch ohnehin. Entscheidend ist: Wenn alle so handeln wie Sie, können alle zufrieden sein. Zumindest unterm Strich.

Bürgerliches Gesetzbuch (BGB)

§ 534 Pflicht- und Anstandsschenkungen

Schenkungen, durch die einer sittlichen Pflicht oder einer auf den Anstand zu nehmenden Rücksicht entsprochen wird, unterliegen nicht der Rückforderung und dem Widerruf.

GEBOTENES MITGEBOT

Mein Partner und ich wollen uns Wohneigentum zulegen. Nun sind die Preise in München nicht gerade niedrig, deshalb überlegen wir, eine Wohnung oder ein Haus zu ersteigern. Bei Zwangsversteigerungen kann man Immobilien, wenn kein Gegengebot kommt, zu 70 Prozent des Gutachterwertes bekommen. Meist wird jedoch gegen den Willen des Eigentümers versteigert, etwa, weil der die Tilgung nicht mehr bezahlen kann, und da stellt sich die Frage, ob wir die Notlage eines anderen ausnutzen. Sollten wir die Finger davon lassen?

TINA D., MÜNCHEN

Zur ersten Frage: Ja, Sie nutzen die Notlage eines anderen, und ja, Sie ziehen einen Vorteil gerade aus dieser Not. Ohne Zwang würde der bisherige Besitzer sein Eigentum nicht hergeben, schon gar nicht unter Wert. Und am regulären Immobilienmarkt bekämen Sie kein solches Schnäppchen. Damit scheint sich Ihre zweite Frage ohne weiteres Nachdenken fast von allein zu beantworten: Will man sich nicht die Hände moralisch schmutzig machen, sollte man von so etwas wohl besser die Finger lassen.

Auf der anderen Seite ist das vielleicht doch zu kurz gedacht. Was passiert, wenn Sie aus ethischen Erwägungen heraus nicht mitbieten? Der Zuschlag wird bei einem geringeren Gebot erfolgen, der Eigentümer erhält, nachdem sich die Bank ihren Teil genommen hat, weniger, oder er muss, weil es nicht zur Tilgung reichte, weiterhin abbezahlen; nun allerdings ohne Haus.

Ihm ist also nicht gedient, wenn Sie sich zurückhalten, im Gegenteil: Sie schaden ihm sogar.

Woher der Widerspruch? Ist man der »Wenn ich's nicht mache macht's ein anderer«-Ausrede auf den Leim gegangen? Nein, wie sich leicht überprüfen lässt: Würde keiner mitsteigern, die Maxime, sich dem zu verweigern, allgemeines Gesetz, bliebe der Schuldner zwar Eigentümer, aber weiterhin auf seinen stetig wachsenden Verbindlichkeiten sitzen. Vor allem aber könnte in Zukunft keine Bank mehr Darlehen auf Immobilien als Sicherheit gewähren. Wenn, muss man hier ansetzen mit den entsprechenden Konsequenzen für das Wirtschaftssystem; immerhin war und ist in etlichen Religionen das Verleihen von Geld gegen Zinsen untersagt, und die hohe Zahl von überschuldeten Privatleuten legt zumindest ein Nachdenken darüber nahe. Akzeptiert man jedoch das Prinzip Kreditfinanzierung als solches – was Sie wohl tun, oder wollten Sie das Häuschen bar bezahlen? –, muss sich das trotz etwaiger Bauchschmerzen auch auf die Zwangsversteigerung erstrecken.

DISCOUNT CARE

Alle paar Wochen bringe ich einer alten Frau eine große Tüte mit Lebensmitteln, um ihre sehr geringe Rente etwas aufzubessern. Ich kaufe die Sachen in Billiggeschäften wie Aldi und Lidl, habe dabei aber immer ein schlechtes Gewissen, weil ich Nahrungsmittel für meinen eigenen Bedarf nicht dort kaufe, sondern dafür in andere Geschäfte gehe. Indes haben die Billigläden viele Kunden, und die dort angebotenen Waren sind sicher nicht schlecht. Was meinen Sie dazu?

HELGA W., FÜRTH

Zunächst einmal ein Kompliment für Ihr Handeln, an dem wenig herumzumäkeln ist. Wenn ich hier auf Ihre Bedenken eingehe, betreiben wir lediglich so etwas wie Gewissensfeintuning.

Dafür würde mich interessieren, warum Sie selbst nicht bei Aldi & Co einkaufen. Sie gehen ja davon aus, dass die Waren dort in Ordnung sind, andernfalls schiede es ohnehin aus, sie der bedürftigen Rentnerin zu überlassen.

Womöglich haben Sie Bedenken, dass das Geschäftsmodell Billiglebensmittelketten die industrielle Landwirtschaft fördert und bäuerliche wie Einzelhandelsstrukturen zerstört; eine Entwicklung, die Sie nicht unterstützen wollen. Diese

Sichtweise teile ich völlig, aber dann handeln Sie schlicht unlogisch. Der Umsatz fließt in diese Kassen, egal ob Sie ihn für sich oder für andere tätigen. Das Gleiche gilt, falls Sie Gedränge und Anstehen nerven. Auch dabei macht es keinen Unterschied, für wen Sie den Einkaufswagen schieben.

Bleibt schließlich die Qualität. Sie erachten die Waren nicht für schlecht, vielleicht aber auch nicht für hochwertig und bevorzugen deshalb für sich selbst Besseres. Dann hätte das Discount-Samaritertum tatsächlich den Ruch des Zweiklassendenkens. Andererseits ergibt es auch kein schönes Bild, jemandem, dem es am Nötigsten mangelt, statt einer großen Tüte mit Lebensmitteln fürs gleiche Geld ein kleines Päckchen mit Spezereien vom Feinkostgeschäft vor die Nase zu setzen.

Meiner Ansicht nach lassen sich die unguten Gefühle am besten ausräumen, wenn man den Blickwinkel wechselt. Sie kaufen ja für die alte Dame ein, sollten also deren Wertmaßstäbe heranziehen: was sie bevorzugt, wo sie selbst einkauft oder einkaufen würde, engten sie nicht die körperlichen und finanziellen Fesseln. Legen Sie das zugrunde, setzen Sie Ihre Zuwendung – gegebenenfalls auch vom Discounter – am besten ein: mit Respekt für die Persönlichkeit der Empfängerin.

KINDER ODER KICKER?

Mein Fußballverein, der FC St. Pauli, stand wegen Schulden kurz vor dem Lizenzentzug. Der drohende Zwangsabstieg in die 4. Liga wäre für mich einer kleinen Katastrophe gleichgekommen. Zur Rettung des Clubs ist auch eine Spendenaktion ins Leben gerufen worden, an der ich mich mit fünfzig Euro beteiligt habe. Ich habe allerdings in meinem Leben wirklich noch nie etwas gespendet, humanitäre Katastrophen hin oder her. Und nun habe ich mein Geld einem Fußballverein gegeben! Ich frage mich, ob ich das mit meinem Gewissen vereinbaren kann. Was meinen Sie? KARL L., HAMBURG

Ihr Dilemma ist Folgendes: Sie haben gerade einen Fünfzig-Euro-Schein in eine Sammelbüchse gesteckt, auf der »Zur Rettung des FC St. Pauli« steht. Nur steht daneben noch eine Dose mit der Aufschrift »Zur Rettung verhungernder Kinder«. Bislang hat Sie deren Schicksal nicht berührt. Sie haben nie etwas gegeben, warum denken Sie jetzt auf einmal darüber nach? Sie haben einen Schein zum Spenden in die Hand genommen, ihn sozusagen dem guten Zweck geweiht. Offenbar fürchten Sie, einen Frevel zu begehen, wenn Sie ihn den Kickern geben. Davor brauchen Sie meiner Meinung nach keine Angst zu haben.

Zwar ist die Frage, weshalb Sie noch nie etwas gespendet haben, ebenso berechtigt wie die Auffassung: Wenn schon spenden, dann den wirklich Bedürftigen. Jedoch ist das alles für Sie nicht aktueller als sonst: In Ihrem Fall geht es gar nicht um eine Spende im engeren Sinn. Die würde ohne Gegenleistung anderen dienen, also fremdnützig sein. Sie haben das Geld jedoch im eigenen Interesse gegeben, wegen des für Sie wichtigen Verbleibs Ihres Vereins in der Liga. Die fünfzig Euro für St. Pauli sind damit der Ausgabe für eine Konzertkarte ähnlicher als einer Spende für humanitäre Zwecke. Die Überlegung, ob Sie das vertreten können, müssten Sie also genauso bei jeder anderen Vergnügung anstellen – und das zu verlangen wäre wohl etwas weltfremd.

Zu begrüßen ist allerdings, dass Sie nun bei dieser Gelegenheit über das Schicksal anderer nachdenken. Deshalb: Wenn Sie ein schlechtes Gewissen haben wollen, dann bitte, weil Sie bislang nichts gespendet haben, aber nicht, weil Sie jetzt Ihrem Verein helfen. Und wenn Sie verlässlich keines haben wollen: Wer hindert Sie denn daran, in jede der beiden Büchsen fünfzig Euro zu stecken?

DER ALTE LEIER

Wenn ich an einer Bushaltestelle stehe und warten muss, nehme ich mir meist aus den Zeitungsverkaufsboxen eine Zeitung und lese darin. Wenn der Bus kommt, lege ich die Zeitung wieder zurück. Bezahlen tue ich dafür nichts, da ich die Zeitung ja auch nicht mitgenommen habe. Sollte ich das Blatt vielleicht doch eher kaufen? OLE W., MÜNCHEN

Natürlich denkt man sofort an Verleihnix, den Fischhändler bei Asterix, der großen Wert darauf legt, dass er Fische verkauft und nicht verleiht. In seinem Sinne würde ich an Ihrer Stelle folgendermaßen entscheiden: Immer wenn Sie eine ZeitungsVERLEIHbox an der Bushaltestelle vorfinden, können Sie so verfahren, wie Sie es schildern. Wenn aber, wie Sie es beschreiben, eine ZeitungsVERKAUFsbox dort steht, sollten Sie die Zeitung auch kaufen. Falls Sie keine Bushaltestelle mit Verleihboxen kennen, scheint mir das ein Hinweis darauf zu sein, dass diejenigen, welche die Boxen aufstellen, die Zeitungshändler also, ähnlich denken wie Verleihnix, der Fischhändler, und das unentgeltliche Lesen ihrer Zeitungen nicht goutieren.

Den Unwillen des gallischen Fischhändlers, seine Ware zu verleihen, kann man nachlesen, zum Beispiel in:
GOSCINNY UND UDERZO, *Asterix in Spanien* (Großer Asterix-Band XIV), Delta Verlag Stuttgart 1973 auf S. 17.

STOPPT STRAUSS

Meine Frau holt sich oft Blumen vom Feld. Früher warf sie dafür immer einen Euro pro Stück in die Kasse. Als sie sich über andere ärgerte, die nicht bezahlen, meinte ich, dass die Eigentümer wahrscheinlich so kalkulieren: In Wirklichkeit koste die Blume 50 Cent, wenn jeder Zweite bezahle, rechne sich das. Seither bezahlt meine Frau nur noch die Hälfte (»Ich finanziere doch nicht anderen die Blumen!«) Das finde ich falsch, sie kann doch nur das Angebot annehmen oder ablehnen, nicht aber weniger bezahlen. Oder?

ULRICH K., MÜNCHEN

Man muss einen Augenblick darüber nachdenken, was am Standpunkt Ihrer Frau falsch ist. Obwohl kein Zweifel daran besteht, dass er falsch ist, ist es gar nicht so einfach, Ihrem zutreffenden juristischen Argument weitere moralische hinzuzufügen. Denn Ihre Frau hält sich scheinbar strikt an den kategorischen Imperativ: Würde die Maxime ihres Handelns allgemeines Gesetz, wäre alles in Ordnung; jeder bezahlt seine 50 Cent, und der Blumenzüchter bekommt sein kalkuliertes Entgelt. Allerdings: Zunächst ist die Annahme, dass nur jeder Zweite bezahlt, Spekulation. Ich will nicht hoffen, dass sich die Achse des Bösen tatsächlich entlang dieses Verhältnisses durchs Blumenfeld zieht, sondern dass das Stehlen Ausnahme bleibt. Dann wären aber selbst nach der Überlegung Ihrer Frau 80 oder 90 Cent angebracht. Wie viel, weiß sie nicht – allein dies zeigt schon die Unmöglichkeit der Idee. Zudem müsste Ihre Frau dann auch im Supermarkt einen Teil des Einkaufs mitgehen lassen, da dort der Ladendiebstahl ebenfalls einkalkuliert ist.

Und schließlich das Hauptargument: Wenn jeder »ehrliche« Käufer 50 Cent zahlt und tatsächlich die Hälfte der Blumenfreunde überhaupt nichts in die Dose wirft, bleiben dem Bauern im Schnitt nur noch 25 Cent. Und das will Ihre Frau wohl auch nicht. Folglich kann die Moral die Realität unserer Welt nicht außer Acht lassen. Die Regel kann nicht lauten: Zahle nur den absoluten Wert, sondern: Zahle den rechtmäßigen Preis. Zwar finanziert man dann gestohlene Blumen mit. Dies ist aber kein Fehler der Moral, sondern durch den Diebstahl bedingt, bei dem sich der Verbrecher bereichert.

DIE KONTENSAMMLERIN

Eine Bekannte von mir besitzt mehr als 20 verschiedene Konten. Jedes Mal, wenn irgendwo besondere Prämien für eine Kontoeröffnung angeboten werden, eröffnet sie dort tatsächlich ein Konto, ohne dieses je zu nutzen. Für eine solche Unterschrift bekam sie zum Beispiel einmal eine Kaffeemaschine, für eine andere einen Tankgutschein. Ist es moralisch verwerflich, in so großem Umfang die Vergünstigungen auszunutzen, ohne eine »Gegenleistung«, also die Nutzung des Kontos, zu erbringen? INGA L., DRESDEN

Warum sollte man nicht eine Vergünstigung nutzen, wenn sie einem geboten wird? Die Banken offerieren sie dem, der ein Konto eröffnet, und genau das tut Ihre Freundin. Man kann sogar die Auffassung vertreten, dass den Geldinstituten nichts Unrechtes geschieht; schließlich trifft es jemanden, der seine Kunden, statt sie mit Leistungen zu überzeugen, mit sachfremden Geschenken wie Kaffeemaschinen ködern will.

Es bleibt aber etwas, in dessen Richtung Sie deuten, wenn Sie den »großen Umfang« bemäkeln. Man kann bei der moralischen Beurteilung nämlich, statt auf die einzelne Handlung, deren Gebotenheit oder Folgen, auch auf die Grundeinstellung des Handelnden abstellen. Das wird Tugendethik genannt und geht zurück auf Aristoteles, welcher der Auffassung war, dass ein glückliches Leben nur ein tugendhaftes sein könne. Aristoteles unterschied die verstandesmäßigen Tugenden, wie Weisheit oder Klugheit, und die ethischen Tugenden, wie Großzügigkeit oder Besonnenheit. Während man die einen durch Belehrung erwerben kann, gelingt dies bei den ethischen Tugenden nur durch Gewöhnung und Einübung über längere Zeit: »... denn eine Schwalbe macht noch keinen Sommer, auch nicht ein Tag. So macht auch ein Tag oder eine kurze Zeit noch niemanden selig und glücklich.« Die daraus entstehenden Haltungen, nicht die einzelnen Taten, sind entscheidend; sie bilden die den Menschen charakterisierenden Eigenschaften, seinen Charakter.

Dementsprechend scheint mir das Problem Ihrer Freundin eher ein Charakterfehler als das einer unrechten Tat zu sein. Denn Triebfeder ist eben die bedenkliche Haltung, Vergünstigungen auch auf Kosten des anderen jedes Mal mitzunehmen; ein unschöner Zug. Außerdem, um Aristoteles' Grundidee aufzugreifen: Ich bezweifle ohnehin, dass man mit den Werbegeschenken der Banken auch nur ansatzweise zu einem glücklichen Leben gelangen kann.

ARISTOTELES, *Nikomachische Ethik*. Eine Taschenbuchausgabe ist beispielsweise bei dtv oder Rowohlt erschienen.

TROCKEN ESSEN

Mittags gehe ich oft in eines der Lokale in der Nähe meines Büros, wo es günstige Gerichte für unter fünf Euro gibt. Um zu sparen, bestelle ich mir jedoch meistens kein Getränk, weil dann das Essen auf über acht Euro käme. Ich weiß natürlich, dass der Gastwirt bei solchen Angeboten mit dem Essen allein keinen Gewinn machen kann, sondern nur über die Getränke, und dass viele Gastwirte um ihre Existenz kämpfen. Bin ich moralisch verpflichtet, ein Getränk zu bestellen, oder kann ich guten Gewissens meinen Durst nach dem Essen im Büro löschen? TOBIAS G., BERLIN

Wenn es etwas gibt, was ich fast so wenig mag wie den Geschmack von Knoblauch oder Bärlauch, dann ist es die Schnäppchenmentalität, und ein wenig riecht es hier danach. Nicht nach den Gewächsen, da wäre es einfach: Wer im Arbeitsalltag Knoblauch zu sich nimmt, handelt rücksichtslos; ein Wirt, der ihn auf den Mittagstisch oder ohne Warnung auf den Teller bringt, sollte nicht einmal fünf Euro, ja keinen Cent dafür erhalten, sondern Schmerzensgeld bezahlen. Das wollten Sie zwar nicht wissen, aber ich einmal loswerden.

Vorliegend stellt sich die schwieriger zu beurteilende Frage, ob Ihr wirtschaftliches Verhalten im Gegenteil ruchlos sein könnte. Dem wäre so, wenn Sie eine Lücke absichtlich ausnützten. Tun Sie das?

Sie haben mit dem Wirt eine Geschäftsbeziehung. Er bietet etwas an, und Sie überlegen, ob und was Sie davon haben wollen. Seine Aufgabe ist, die Preise zu kalkulieren, Ihre, sie zu bezahlen oder zu Hause zu essen. Meine Nachfrage in der Gastronomie hat ergeben, dass bei richtiger Kalkulation der Wirt selbst beim günstigsten Angebot gerade noch ein kleines Plus macht. Was das für Auswahl und Qualität der Zutaten bedeutet, steht auf einem anderen Blatt. Natürlich hofft er, dass Sie, dank des Schnäppchens einmal im Lokal, auch etwas trinken. Andererseits rechnet sich für ihn ein volles Lokal mit trocken essenden Gästen immer noch besser als ein leeres mit Kellnern, die Krampfadern vom Herumstehen bekommen. Denn sie, wie auch die Pacht, muss er auf jeden Fall bezahlen.

Ich persönlich hielte einen »Draufzahl-Preis« sogar für unredlich, wenn Sie damit nur angelockt werden sollen, um anderes zu konsumieren. Man kann auch reell kalkulieren oder ein Kombi-Menü mit Getränk anbieten. Das kostet dann mehr, und die Werbewirkung ist geringer, aber wenn sich der Wirt diese Zeche erwartet, wäre es ehrlicher, das auch so in die Karte zu schreiben.

ARM UND REICH

Der Nobelpreisträger Milton Friedman sagte im ›SZ-Magazin‹ Nr. 25/2006: »Es ist unmoralisch, Geld von den Reichen zu nehmen, um es den Armen zu geben.« Das ist doch falsch, oder? KLAUS W., AACHEN

Die Frage, ob man unterschiedlichen Reichtum aus ethischer Sicht ausgleichen darf, soll oder gar muss, ist eine der spannendsten und wichtigsten ethischen Diskussionen unserer Zeit. In der Sozialphilosophie stehen sich dabei zwei Standpunkte gegenüber: Egalitarismus und Non-Egalitarismus. Der Egalitarismus fordert gleich viel für alle Menschen – eine einleuchtende Forderung. Alle unverschuldet erlangten Vor- und Nachteile des Lebens sollte eine gerechte Gesellschaft ausgleichen wie eine riesige Versicherung gegen reines Pech. Die Debatte konzentriert sich dabei auf die »Equality-of-What«-Frage: Wovon gleich viel? Von Ressourcen, Chancen, Rechten, Vermögen oder gar Wohlergehen? Dann aber gehen die Probleme los: Was, wenn nun jemand partout nicht anders glücklich werden kann als beim Surfen auf Hawaii? Wenn er für seine besondere Veranlagung nichts kann und es allen gleich gut gehen soll, müssen ihm dann nicht jene, die am Fließband zufrieden sind, sein Leben am Strand bezahlen? Oder ein Herrscher, der alle Untertanen in siedendes Öl werfen lässt und am Ende selbst hineinspringt. Ist das ein guter Herrscher, weil er alle gleich behandelt?

Das brachte die Non-Egalitaristen dazu, das Prinzip Gleichheit als Voraussetzung der Gerechtigkeit in der »Why-Equality«-Debatte grundsätzlich in Frage zu stellen: Warum sollte, was einem Menschen aus moralischer Sicht zusteht, davon abhängen, wie viel ein anderer hat? Einem Verhungernden zu essen zu geben, sei doch moralisch geboten, egal ob der Nachbar gerade Kaviar löffelt oder nicht. Die Kritik geht weiter: Um für einen gerechten Ausgleich zu sorgen, muss man notwendig zwischen verschuldetem und unverschuldetem Pech unterscheiden. Wer arm ist, weil er sein Vermögen verprasst hat, kann von der Gesellschaft nicht dauernd nachfordern. Aber muss er dann unter der Brücke bleiben? Muss der Raucher seine Lungenbehandlung selbst bezahlen und krank bleiben, wenn er kein Geld hat? Oder ist er nur Opfer einer Sucht? Die Unterscheidung sei kaum machbar, sagen die Egalitarismus-Kritiker, und dem, der selbst schuld ist, nichts zu geben, sei schlicht inhuman. Der Versuch, alles auszugleichen, führe am Ende nur zu einer »Angleichung nach unten«. Zu gewährleisten sei weniger Gleichheit, sondern vielmehr, so etwa die Basler Philosophin Angelika Krebs, dass niemand unter elenden Umständen leben müsse. Jeder müsse Zugang haben etwa zu Nahrung, Obdach, Sicherheit, medizinischer Grundversorgung, persönlichen Nähebeziehungen, sozialer Zugehörigkeit, Individualität und privater wie politischer Autonomie. Dann sei nicht mehr entscheidend, ob ein anderer mehr hat.

Man spricht oft davon, wie viel vom Kuchen jeder abbekommen soll, und im Endeffekt geht es wirklich um die Torte am Kindergeburtstag: Muss jedes Kind ein gleich großes Stück bekommen, oder kann es sogar gerechter sein, wenn manche mehr bekommen? Zum Beispiel das Geburtstagskind? Das Kind mit dem meisten Hunger oder das, welches beim Backen geholfen hat? Das magerste, das hübscheste oder umgekehrt gerade das hässlichste? Das, welches sonst immer Pech hat, oder das, dessen Eltern die Torte bezahlt haben?

Der Streit kann hier ungelöst bleiben, denn selbst für Nicht-Egalitaristen ist Friedmans Aussage in dieser Kürze nicht haltbar – auch unter seiner Einschränkung, das Geld müsse ehrlich verdient sein. Jenseits aller Gleichmacherei: Wenn der Arme nicht mehr menschenwürdig leben kann, muss ihm der Reiche etwas abgeben. Und den Friedensnobelpreis würde Friedman für diese Provokation sowieso nicht verdienen.

Einen guten Überblick mit Texten zur Egalitarismusdebatte erhält man in dem Sammelband *Gleichheit oder Gerechtigkeit,* hrsg. von Angelika Krebs, Suhrkamp Verlag 2000.

Lesenswert in diesem Zusammenhang auch *Sozialstaat und Gerechtigkeit,* hrsg. von Detlef Horster, Velbrück Wissenschaft Verlag 2005, in dem Vorträge der Hannah-Arendt-Tage 2004 abgedruckt sind.

Freundliche Ausstrahlung oder: Gesundheit und System

FREUNDLICHE AUSSTRAHLUNG

Eine gute Freundin hat mit ihrem Mann und zwei Kindern nach langer, intensiver Suche und mühevollster Renovierung ihre Traumwohnung bezogen. Die Begeisterung teilte ich, bis ich ins Kinderzimmer kam: Eine riesige Mobilfunksendeanlage auf dem Nachbarhaus strahlt aus zirka zehn Meter Entfernung direkt ins Zimmer.
Nun ist ja inzwischen allgemein bekannt, dass solche Anlagen in einer derartigen Nähe eine Gefahr für die Gesundheit bedeuten, zumal für Kinder. Eigentlich würde ich meine Freundin gern warnen, möchte ihr aber andererseits die Freude am neuen Heim nicht verderben. Was soll ich tun?

HELGA E., MÜNCHEN

Mobilfunkantennen und Gesundheitsgefahren sind ein heiß umstrittenes Thema. Glücklicherweise lässt sich Ihre Frage ganz unabhängig davon beantworten, ob und wie dieser Streit je entschieden wird. Für die moralischen Überlegungen reicht aus, dass es eine Diskussion gibt und dass Ihnen Bedenken bekannt sind. Das Fehlen einer endgültigen Klärung zeigt im Gegenteil sogar den Weg zur Lösung auf. Man muss sich nämlich eine Meinung bilden, und dies führt automatisch zur entscheidenden Frage: Wer soll das tun?

Denken Sie doch einmal die beiden Möglichkeiten durch: Sie vermuten, dass Ihre Freundin nichts über die Gefahren weiß oder sie falsch einschätzt. Wenn Sie sie darauf hinweisen, kann es sein, dass deren Freude an der neuen Wohnung getrübt ist. Sie kann sich aber auch Konsequenzen überlegen: mit der Antenne leben, die Zimmernutzung ändern oder ausziehen. Sagen Sie nichts, bewahren Sie Ihrer Freundin zwar die sprichwörtliche Verbindung von trautem Heim und Glück allein, entmündigen sie aber zugleich: Sie enthalten ihr die Möglichkeit vor zu entscheiden, ob und wie sie reagieren will. Durch Ihr Schweigen befinden Sie, dass Ihre Freundin besser unwissend glücklich sein sollte. Umso unverständlicher, wenn man, wie Sie, von der Gefährlichkeit der Antennen überzeugt ist.

Wohlgemerkt: Es geht darum, Ihrer Freundin mehr Entscheidungsfreiheit zu ermöglichen, nicht sie zu bevormunden. Das sollte auch in den Formulierungen zum Ausdruck kommen. »Ihr müsst sofort raus aus der Wohnung, sonst seid ihr alle des Todes!«, mag zwar recht wirkungsvoll sein, verdirbt aber sofort die Freude. Zur Information, und nur um die geht es, reicht ein wesentlich rücksichtsvolleres »Kennt ihr die Diskussion über die Mobilfunkgefahren?« völlig aus.

KLASSE KASSE?

Meine Krankenkasse, bei der ich seit zehn Jahren als Arbeitnehmerin versichert bin, hat ihre Beitragssätze wieder erhöht. Deshalb überlege ich, zu einer günstigeren Kasse zu wechseln, bin aber unschlüssig, da mir meine Kasse eine jahrelange teure Behandlung bezahlt hat, deren Kosten meine Beiträge weit überschritten haben. Verhalte ich mich bei einem Wechsel unsolidarisch? Obwohl ich bei einer Beitragserhöhung sogar ein Sonderkündigungsrecht habe?

HANNAH Z., MAINZ

Der Begriff Solidarität ist in diesem Zusammenhang ganz richtig, denn die gesamte gesetzliche Krankenversicherung beruht darauf: Im Grundsatz zahlen alle gleiche Anteile ihres Einkommens ein, unabhängig vom individuellen Krankheitsrisiko. Ihre Überlegungen stellen das auch nicht in Frage; Sie wollen nicht die Solidargemeinschaft verlassen (wenn Sie das als Arbeitnehmerin überhaupt können), sondern innerhalb des Systems zu einer anderen Kasse wechseln – allerdings dadurch für die gleichen Leistungen weniger bezahlen.

Obwohl das in einem Solidarsystem auf den ersten Blick unschön aussieht, handeln Sie damit nicht falsch. Der an sich einfache Solidargedanke wird in einem hochkomplizierten

System umgesetzt. Der Gesetzgeber bestimmt seine Inhalte und ändert sie laufend. So ist die Möglichkeit relativ neu, bei Erhöhungen zwischen den Kassen zu wechseln. Sie wurde eingeführt, um Wettbewerb zwischen den Kassen zu fördern. Durch marktwirtschaftliche Elemente sollte das starre System modernisiert und die Kassen zu mehr Effizienz angeregt werden, zum Beispiel in ihren Verwaltungen. Dies wiederum käme allen Versicherten zugute. Sie haben also kein Schlupfloch im System gefunden, sondern erwägen ein vom Gesetzgeber erwünschtes Vorgehen. Man kann den Ansatz des Gesetzgebers für verfehlt halten, dem Einzelnen aber nicht vorwerfen, wenn er sich in diesem Sinne verhält.

Im Hinblick auf Ihre teure Krankheit würde ich allerdings unterscheiden: Handelte es sich um eine ganz normale, nur teure Behandlung, die ohne Wenn und Aber zu bezahlen war? Dann sind Sie der Kasse nicht besonders verpflichtet. Wenn die Kasse Ihnen gegenüber aber großzügig war, indem sie die Bestimmungen versichertenfreundlich auslegte, so wäre dies meines Erachtens tatsächlich ein Grund, den Wechsel zu überdenken.

RAFFGIER IN WEISS

Ich bin privat krankenversichert und erhalte Rechnungen von meinen Ärzten, die ich an die Versicherung weiterleite. Einige jener Ärzte zählen zu meinem Freundeskreis, auf ihren Rechnungen fallen mir jedoch immer häufiger Luftbuchungen auf, also Leistungen, die ich nie in Anspruch genommen habe. Das geht bis zu vierzig Prozent der Gesamtsumme – welche bei Leistungen wie Zahnersatz anteilig von mir selbst beglichen wird. Nun weiß ich nicht, wie ich mich verhalten soll. Bin ich zur Aufdeckung des Betrugs verpflichtet? Wie soll ich meinen bisherigen Freunden gegenübertreten?

ANTON S., MÜNCHEN

Ihre Arztrechnungen scheinen kränker zu sein als Sie selbst. Ihr Problem könnten Sie deshalb lösen, indem Sie nicht mehr krank werden – also auch nicht mehr zum Arzt müssen. Sie sollten daher zeitig schlafen gehen, früh aufstehen, eiskalt duschen und anschließend joggen. Das aber nicht zu viel, der Gelenke wegen. Außerdem weniger Fett und Zucker essen, dafür mehr Gemüse, keinen Alkohol trinken und das Rauchen aufgeben. Kurzum all jene Maßnahmen treffen, von denen man hofft, dass sie genauso effektiv Krankheiten vorbeugen, wie sie das Aufkeimen von Lebensfreude verhindern.

Falls Sie das aber nicht tun wollen, ist aus moralischer Sicht nur ein Weg möglich: Sie müssen den jeweiligen Arzt auf seine überhöhte Rechnung ansprechen. Die kann nämlich verschiedene Ursachen haben. Vielleicht haben Sie als Patient manche ärztliche Maßnahme nicht richtig erkannt. Vielleicht liegt ein Versehen vor, eine Verwechslung von Datum oder Karte, ein Irrtum der Arzthelferin. Oder aber Ihr Arzt will tatsächlich Sie beziehungsweise Ihre Kasse betrügen und rechnet absichtlich mehr ab, als ihm zusteht. Auf jeden Fall müssen Sie ihm Gelegenheit geben, sich dazu zu äußern. Wenn Sie mit ihm befreundet sind, wäre es sogar besonders verwerflich, nichts zu sagen und die Sache stattdessen zur Anzeige zu bringen. Einfach an die Versicherung weitergeben können Sie die Rechnung auch nicht mehr. Zwar sind Sie nicht verpflichtet, die Posten im Einzelnen zu überprüfen. Wenn Sie aber eine Ihrer Meinung nach fehlerhafte Rechnung einreichen, machen Sie mit bei einem Spiel, von dem Sie nicht wissen, ob es gut oder böse ist.

Übrigens scheint Ihr Gewissen vor allem deshalb zu rebellieren, weil auch Ihr eigener Geldbeutel betroffen ist. Der aber sollte keine moralische Instanz sein. Im Gegenteil: Sie können Ihren Ärzten so viel bezahlen, wie Sie wollen, ohne moralische Grundsätze zu verletzen. Allerdings dürfte das Ihre Freundschaften auf eine schwere Probe stellen.

FREUNDE AUF KRANKENSCHEIN

Bei einem Skiunfall habe ich mir ein Kreuzband gerissen. Danach hatte ich große Schmerzen, Probleme mit den Krücken, konnte nicht Auto fahren. Zu Hause ein Chaos: zwei kleine Kinder, ein großer Hund in einem alten Bauernhaus mit engen Treppen. Deshalb bewilligte mir mein Arzt eine Haushaltshilfe. Kurz darauf kam ich schon wieder ganz gut zurecht, auch weil viele Freunde mir unentgeltlich ihre Hilfe anboten. Soll ich die Haushaltshilfe nun trotzdem beantragen oder eine Bekannte anmelden, um den Zuschuss zu erhalten? Ich habe ja einen Anspruch, schröpfe aber dabei die arme Kasse. MARION S., STUTTGART

Man könnte nun prüfen, ob tatsächlich ein Anspruch auf Haushaltshilfe besteht, doch scheint mir dies für unsere ethischen Überlegungen zweitrangig. Ihr Arzt hat die Hilfe pflichtgemäß verordnet, und hier geht es ja nicht um Sozialrecht, sondern um Moral. Auf diesem Gebiet aber stellt sich die interessante Frage: Wie sieht es aus, wenn Ihnen de jure etwas zusteht, was Sie aber de facto nicht unbedingt benötigen?

Es gibt eine Rechtsfigur, die ich sehr gern mag: die »diligentia quam in suis«, wörtlich: »die Sorgfalt wie in Eigenem«. Ihr zufolge muss man in bestimmten Zusammenhängen anderen gegenüber nicht ein abstraktes Maß, sondern so viel an Sorgfalt walten lassen, wie man sie auch für eigene Angelegenheiten aufwendet. Nun bedeutet diligentia nicht nur Sorgfalt, sondern auch Wirtschaftlichkeit, sodass ich diese Idee übertragen möchte auf alle Situationen, in denen man auf fremde Rechnung Geld ausgeben darf, zum Beispiel Spesen oder versicherte Schäden: Stets sollte man so wirtschaften, als müsste man aus eigener Tasche bezahlen. Eine Versicherungsleistung – insbesondere der Sozialversicherung – ist keine Ölquelle, die man auf seinem Grundstück entdeckt hat und nun möglichst reichlich sprudeln lässt. Es geht um einen Ausgleich: nicht mehr, aber auch nicht weniger.

Konkret: Haben Sie Hilfe erhalten, welche Sie selbst würden honorieren wollen, sollten Sie dies auch gegenüber der Kasse geltend machen. Haben Ihnen Ihre Freunde in normalem Ausmaß geholfen und Sie kamen gut über die Runden, sehe ich keinen Grund für einen Hilfsantrag.

Natürlich kann man auch vertreten, es sei legitim, sich all das zu nehmen, worauf man einen Rechtsanspruch hat. Doch erwachsen meines Erachtens viele Probleme, an denen unsere Gesellschaft krankt, aus ebendieser Haltung.

AUS DER PRAXIS

Meine Freundin ist niedergelassene Ärztin in einem kleinen Ort in der Nähe von München. Nun würde sie gern ihre Erlebnisse mit den Patienten literarisch verwerten. Wir haben darüber diskutiert; und unsere Frage lautet daher: Ist dies unter rechtlichen Aspekten überhaupt möglich, und wenn ja, welches Maß der Anonymisierung ist erforderlich? Hätten Sie allgemeine oder sich aus Sicht des Arztes ergebende moralische Bedenken? BERND B., MÜNCHEN

Sie kennen sicherlich den Film *Notting Hill,* in dem Hugh Grant einen Buchhändler spielt, der eine Affäre mit einem Filmstar hat, gespielt von Julia Roberts. Was hat das mit Ihrem Problem zu tun? Das Leben des Buchhändlers wird im Zuge dieser Affäre plötzlich öffentlich, er findet sich selbst im Fernsehen wieder. Ähnlich könnten sich auch die Patienten Ihrer Freundin vorkommen, sie finden zwar nicht sich selbst, aber ihre Geschichte in einem Buch wieder (und falls es ein Bestseller und verfilmt wird, womöglich auch im Fernsehen). Nur, das ist der große Unterschied: Wer etwas mit einem Star anfängt, muss wissen, worauf er sich einlässt; nicht aber, wer zum Arzt geht. Im Gegenteil, der darf erwarten, dass alles, was er dem Arzt sagt, vertraulich bleibt.

»Nur so kann«, wie das Bundesverfassungsgericht sagte, »zwischen Arzt und Patient jenes Vertrauen entstehen, das zu den Grundvoraussetzungen ärztlichen Wirkens zählt, weil es die Chancen der Heilung vergrößert.« Der eine mag stolz darauf sein, dass seine Geschichte in einem Buch erscheint, dem anderen ist es unangenehm. Auf alle Fälle muss verhindert werden, dass Patienten sich beim Arzt nicht mehr frei äußern, weil sie fürchten, als Romanvorlage zu enden.

Rein rechtlich gesehen reicht es aus, die Patienten so weit zu anonymisieren, dass sie kein Fremder mehr erkennt. In einer Kleinstadt nicht ganz einfach, weil schon die Familienkonstellation, der Beruf oder auch nur eine Marotte manchen identifizierbar machen. Für das Arzt-Patienten-Verhältnis aber würde ich noch weiter gehen: Auch der Patient selbst, der sich vielleicht als Einziger wiedererkennt, darf nicht das Gefühl bekommen, zu etwas verwendet, missbraucht worden zu sein.

Ich sehe zwei Lösungsmöglichkeiten: Entweder die Patienten werden um Erlaubnis gefragt oder deren Geschichten so weit verfremdet, dass sich niemand mehr bloßgestellt fühlen kann. Wie das genau gehen soll? Nun ja, auch das Schreiben ist eine Kunst.

Notting Hill von Roger Michell 1999 ist von Universal auf DVD erhältlich.

Das Zitat des Bundesverfassungsgerichts stammt aus dem Beschluss vom 8.3.1972 und ist zu finden in der amtlichen Sammlung BVerfGE, Band 32, S. 373–387, sowie in der Neuen Juristischen Wochenschrift 1972, S. 1123–1126.

KINDER ODER KEINE

Ich leide an einer leichten Form der Multiplen Sklerose. Bisher noch nicht stark erkrankt, habe ich nach Aussagen meiner Ärzte gute Chancen, noch länger ein einigermaßen »normales« Leben zu führen. Nun hätten meine Freundin und ich gern Kinder, wogegen jedoch spricht, dass diese Kinder ein erhöhtes Risiko haben, auch an MS zu erkranken, zirka drei bis fünf Prozent. Vielleicht verschlimmert sich auch meine Krankheit, und ich kann nicht nur keine Familie mehr ernähren, sondern muss selbst gepflegt werden. Ist es egoistisch, in diesem Fall Kinder zu bekommen? Wie kann ich mit dem Risiko umgehen, Kinder in die Welt zu setzen, die womöglich schwer erkranken? STEFAN S., HAMBURG

Ihre Frage halte ich für sehr schwierig. Eine allgemein gültige Antwort kann es in einer derartigen Sache wohl nie geben, und Sie sollten sich auf alle Fälle individuell humangenetisch beraten lassen. Prinzipiell steht jedoch meiner Ansicht nach Ihrem Kinderwunsch von moralischer Seite kein unüberwindliches Hindernis entgegen. Vor allem aber keines, über das sich ein Außenstehender anmaßen dürfte zu urteilen.

Trotzdem will ich Ihnen einige Aspekte aufzeigen, mit denen Sie bei Ihren Überlegungen konfrontiert sind: Ein von mir befragter Humangenetiker hat die von Ihnen genannten drei bis fünf Prozent Erkrankungswahrscheinlichkeit Ihrer Kinder und damit eine starke Risikoerhöhung für dieses Leiden bestätigt. Diese Zahl müsse man aber im Verhältnis sehen zu einem mindestens genauso hohen Risiko jedes Neugeborenen dafür, irgendeine erbliche Krankheit mitbekommen zu haben.

Hier interessiert vor allem, ob sich aus ethischer Sicht eine Pflicht denken lässt, wegen des erhöhten Risikos auf die Zeugung von Kindern zu verzichten, und wenn ja, wem gegenüber? Ob sie im Verhältnis zu den möglichen Kindern bestehen kann, ist ein unter dem Begriff »wrongful life« bekanntes moralisches und rechtliches Problem: Kann jemand »durch« seine Existenz in seinen Rechten verletzt werden? Die überaus komplexen Überlegungen laufen letztlich auf einen Punkt hinaus: Lässt sich behaupten, es wäre für den Betroffenen vorzuziehen, nicht geboren worden zu sein? Diskutiert wird das in der Medizinethik eigentlich nur bei Kindern, die ein so schweres Leiden aufweisen, dass sie nur zur Welt kommen, »um« qualvoll zu sterben. Dies ist in Ihrem Fall sicher nicht zutreffend, selbst wenn Ihr Kind auch an MS erkrankte; zudem wird das mit 95- bis 97-prozentiger Wahrscheinlichkeit gar nicht eintreffen. Ähnliches gilt, falls Sie selbst zum Pflegefall werden. Auch hier haben die möglichen Kinder zu dem Risiko, einen eventuell pflegebedürftigen Vater zu bekommen, nur die Alternative, gar nicht zu leben.

Das leitet über zum zweiten Teil: Könnten Sie eine Pflicht der Gesellschaft gegenüber haben? Ich bin der Meinung:

nein. Es gehört zu den Aufgaben der Allgemeinheit, so eine Last notfalls mit zu schultern und gegebenenfalls für die Bedürftigen zu sorgen. Sie handeln nicht leichtfertig, und trotz aller Probleme leben wir in einem reichen Land.

Wer die Ansicht vertritt, Sie dürften in Ihrer Konstellation keinen Nachwuchs bekommen, soll sich gedanklich vor Ihre Kinder hinstellen und sagen, es wäre besser für sie, sie existierten gar nicht; und da Sie an der befürchteten Krankheit leiden, müsste diese Person Ihnen mithin dasselbe sagen.

Ob er sich fortpflanzen will oder nicht, steht zur persönlichen Entscheidung jedes Menschen. Die reproduktive Freiheit stellt ein ungeschriebenes Grundrecht dar. Sie muss wie jedes andere Recht verantwortungsvoll ausgeübt, aber gewährleistet werden. Es bleibt Ihre eigene Wahl zusammen mit Ihrer Partnerin, die womöglich die Hauptlast zu tragen haben wird, ob Sie in dieser Konstellation Kinder wollen oder nicht. Es gibt für Sie keine Pflicht in einer der beiden Richtungen, aber es kann Ihnen auch niemand die Entscheidung abnehmen.

Zu diesem Thema unbedingt lesenswert ist der von ANTON LEIST herausgegebene Sammelband *Um Leben und Tod. Moralische Probleme bei Abtreibung, künstlicher Befruchtung, Euthanasie und Selbstmord,* 3. Auflage, Suhrkamp Verlag 1992, der leider beim Verlag vergriffen und auch antiquarisch nur sehr schwer erhältlich ist.

Empfehlenswert auch: KLAUS STEIGLEDER, *Müssen wir, dürfen wir schwere (nicht-therapierbare) genetisch bedingte Krankheiten vermeiden?* in: MARCUS DÜWELL, DIETMAR MIETH (Hrsg.), *Ethik in der Humangenetik*, Francke Verlag 2000

Das Aldi-Diplom oder: Fürs Leben gelernt

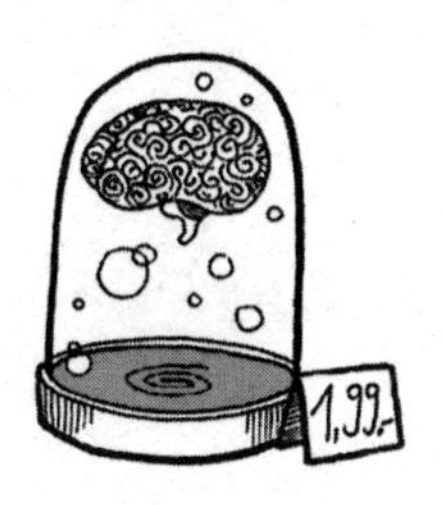

KURSKORREKTUR

Um für eine Reise ein wenig Türkisch zu lernen, habe ich vor einiger Zeit einen Sprachkurs bei der Volkshochschule begonnen. Nun, nach der Reise, habe ich eigentlich keinen Grund mehr, weiter Türkisch zu studieren. Doch wenn ich aufhöre, sinkt die Teilnehmerzahl von fünf auf vier, und der Kurs wird wahrscheinlich gestrichen – obwohl die anderen Teilnehmer entweder wegen ihres Berufs oder wegen eines türkischen Ehepartners darauf angewiesen sind. Ist es unmoralisch von mir, aufzuhören? CORINNA S., WIESBADEN

Hoffentlich ist Ihre ehemalige Grundschule, bin ich versucht zu sagen, nicht wegen sinkender Schülerzahlen von der Schließung bedroht: Sonst müssten Sie jetzt immer noch absichtlich in der vierten Klasse durchfallen, um die Zahl der Schüler künstlich hoch zu halten.

Eine derartige Antwort wird Ihrem Problem nicht gerecht, zeigt aber schon, in welche Richtung es geht. Selbstverständlich trägt man bei jeder Handlung Verantwortung für die Auswirkungen auf die Umwelt, also auch die Menschen in Ihrem Sprachkurs. Noch dazu haben Sie die ja sicher mit der Zeit besser kennen gelernt. Es ist sehr anständig von Ihnen, dass Sie sich Gedanken machen, doch rechtfertigen die Umstände Ihre Bedenken nicht. Sie haben aus Interesse oder zu einem bestimmten Zweck einen Sprachkurs belegt. Damit haben Sie aber keine dauerhafte Verantwortung für das Gelingen des Lehrgangs übernommen. Im Gegenteil, vielleicht ist der Kurs schon von Anfang an nur dank Ihrer Anmeldung zustande gekommen, sodass die anderen Teilnehmer schon lange von Ihnen profitiert haben – wie übrigens auch umgekehrt. Jetzt ist der Grund für den Sprachkurs entfallen, und Sie haben keine »Schulden« zu begleichen.

Allerdings gibt es einen gewichtigen Unterschied zu dem Beispiel mit der Grundschule: Von dem Sprachkurs können Sie auch weiterhin profitieren. Haben Sie nicht doch noch ein wenig Interesse an der türkischen Sprache? Wenn nicht, müssen Sie gleichwohl kein schlechtes Gewissen haben, denn eines kommt noch hinzu: Die Volkshochschule wird zu einem Gutteil von Zuschüssen finanziert, deren Verteilung nach bestimmten Regeln, darunter auch Mindestteilnehmerzahlen, erfolgen muss. Diese Regeln unterlaufen Sie aber, wenn Sie sich den anderen zuliebe für einen Kurs einschreiben, der Sie in Wirklichkeit gar nicht interessiert.

DAS ALDI-DIPLOM

Ein zirka 50-jähriger Akademiker in meinem Bekanntenkreis hält sich mit Gelegenheitsjobs über Wasser. Nun hat er erzählt, dass er zurzeit eine Diplomarbeit »im Auftrag« schreibe. Ich denke, so ist beiden geholfen: Der Auftraggeber ist bereits vollberuflich tätig und hätte sich zwischen Job und Diplomarbeit entscheiden müssen, und unser Bekannter ist für längere Zeit mit Arbeit versorgt. Und wer, außer dem Prüfer, interessiert sich für eine Diplomarbeit, wenn es doch nachher allein auf den Schein ankommt? Sehen Sie das genauso wie ich? WILLY D., WIESBADEN

Bei dieser Frage komme ich ins Grübeln. Nicht über den Inhalt, sondern ob mich die Tatsache, dass Sie sie gestellt haben, beruhigen oder vielmehr beunruhigen soll. Scheinen Sie doch auf die Idee zu kommen, das geschilderte Verhalten ließe sich moralisch irgendwie – womöglich auch noch mit meiner Hilfe – rechtfertigen. Andererseits zeigt die Frage aber auch, dass Sie wenigstens Bedenken haben. Und das wiederum ist beruhigend.

Denn was Ihr Bekannter und vor allem sein Auftraggeber machen, ist ohne jedes Wenn und Aber falsch, auch wenn das Ausmaß ihrer Verfehlung nicht zu ewiger Verdammnis führen mag. Man kann darüber nachdenken, ob der Auftraggeber einen Betrug im juristischen Sinne begeht und warum wohl nicht. Dass es ein Betrug im moralischen Sinne ist, steht außer Frage. Der Diplomand unterschreibt beim Einreichen der Arbeit, dass er sie selbst und ohne fremde Hilfe erstellt hat. Je nach Universität bestätigt er das sogar an Eides statt. Das ist schon einmal eine Lüge. Was aber meines Erachtens schwerer zählt, ist die Tatsache, dass er danach einen Abschluss erhält, für den die, die ihn ehrlich erworben haben, eine echte Leistung erbringen mussten. Sie sind die eigentlich Betrogenen, ihre Arbeit wird entwertet. Sie mögen Recht haben, dass durch den Auftrag beiden Beteiligten geholfen ist. Das ist auch der Fall, wenn der Dieb seine Beute an den Hehler verkauft, ein moralisches Kriterium ist es sicher nicht.

Und schließlich Ihr Schlussargument: Natürlich werden viele Diplomarbeiten später nie wieder gelesen, und nur das Ergebnis, nämlich der Schein, zählt. Der zählt aber nur, weil hinter ihm eine Leistung steht. Gäbe es Diplome für Einsneunundneunzig bei Aldi oder lägen sie im Herbst auf der Straße, wäre wirklich egal, wie man sie erworben hat. Aber dann könnte man mit ihnen auch nichts anfangen.

BENOTUNG MANGELHAFT

Es kommt vor, dass ich mich als Lehrer beim Addieren von Punkten verzähle und ein Schüler deshalb eine bessere Note als verdient erhält. Wenn er mich dann auf den Fehler hinweist, stelle ich ihn vor die Wahl, ob er die bessere Note behalten will oder ob ich seine echte Leistung bewerten soll. Ich bin mir aber nicht sicher, ob mein Angebot überhaupt fair ist. Weil nicht selten Schüler dann die verdiente (schlechtere) Note wählen, könnte es sein, dass der moralische Druck für andere zu hoch ist, um sich für die bessere, aber leistungsmäßig unverdiente Note zu entscheiden.

REINHARD K., MÜNCHEN

Die einfachen Ziffern Eins bis Sechs scheinen zu komplexen Zahlen zu mutieren, wenn sich neben dem Schüler auch der Lehrer verrechnet hat. Nun müssen die Folgen von dessen Fehlern analysiert werden, um einen moralischen Notenschlüssel zu erhalten.

Dabei sollen Gleichbehandlung und Ehrlichkeit integriert werden. Im Sinne der Gleichbehandlung liegt es, wenn gleich viele Punkte die gleiche Note ergeben, diese also angepasst wird; die Ehrlichkeit wird dagegen besser gefördert, wenn die Zensur bleibt, weil die Schüler ermutigt werden, nachträglich entdeckte Fehler offenzulegen, statt sie zu verheimlichen.

Gebührt einem Vorrang? Dahinter stehen zwei grundlegende ethische Werte: Gerechtigkeit und Wahrheit. Bei Platon, einer Wurzel abendländischer Philosophie, findet man einerseits in *Nomoi,* dass die Wahrheit »allen Gütern für die Götter, für die Menschen vorangeht«, andererseits lässt er in *Der Staat* Sokrates über die Gerechtigkeit sagen, sie »gehört zu dem Schönsten, nämlich zu dem, was sowohl um seiner selbst willen wie wegen der daraus entspringenden Folgen von jedem geliebt werden muss, der glücklich werden will«. Moralisch geht also weder Wahrheitspunkt vor Gerechtigkeitsstrich noch umgekehrt, die Frage bleibt primär eine pädagogische; in dieser Hinsicht haben meine Recherchen ergeben, dass viele Lehrer die bessere Note belassen, obwohl schulrechtlich auch das Gegenteil möglich wäre.

Schließlich die Wahlmöglichkeit. Ich halte sie nicht für unfair, im Gegenteil, mir gefällt die Idee. Trotz allen Drucks von außen lassen Sie den Schülern mehr autonome Entscheidung. Vor allem aber »zwingt« hier eine Rechenaufgabe zur Auseinandersetzung mit Gerechtigkeit und Wahrheit, Gruppendruck und persönlichem Vorteil, letztlich auch mit Freiheit und Eigenverantwortung. Das jedoch kann ich aus ethischer Sicht nur begrüßen.

PLATONS Zitat über die Gerechtigkeit stammt aus *Der Staat* (Politeia), 2. Buch 357d–358a, das über die Wahrheit aus *Nomoi.* 5. Buch 730C. Die einschlägige Bestimmung findet sich in Bayern im GESETZ ÜBER DAS ERZIEHUNGS- UND UNTERRICHTSWESEN (BayEUG)

Art. 52 Nachweise des Leistungsstands, Bewertung der Leistungen, Zeugnisse

(3) Unter Berücksichtigung der einzelnen schriftlichen, mündlichen und praktischen Leistungen werden Zeugnisse erteilt. Hierbei werden die gesamten Leistungen einer Schülerin bzw. eines Schülers unter Wahrung der Gleichbehandlung aller Schülerinnen und Schüler in pädagogischer Verantwortung der Lehrkraft bewertet.

WER HAT GEFEHLT?

Der Geografielehrer unseres 16-jährigen Sohnes verlegte überraschend die große halbjährliche Klassenarbeit vor, sodass die Schüler statt acht nur noch zwei Tage zur Vorbereitung hatten. Deshalb wollte unser Sohn – wie andere auch – die Arbeit schwänzen und nachschreiben. Wir waren natürlich nicht begeistert. Da wir es aber nicht schafften, so kurzfristig über die Elternklassenvertretung an die Schule heranzutreten, und die Noten der Prüfung voll ins Zeugnis eingehen, haben wir es ihm erlaubt. War das richtig?

MARIA UND HERWIG P., HANNOVER

Erfreulicherweise machen Sie sich Gedanken um die Richtigkeit Ihres eigenen Verhaltens und nicht um das der anderen Beteiligten; doch wie so oft hängt alles zusammen, und man muss es Schritt für Schritt betrachten.

Zunächst der Lehrer: Für die Frage, wie lange vorher Klassenarbeiten angekündigt werden müssen, gibt es Bestimmungen; doch auch, wenn diese das Vorgehen nicht verbieten: Schulordnung hin oder her, so geht man einfach nicht mit Menschen um – auch Schüler sind Menschen! Zudem stellt der Lehrer seine eigene Arbeit in Frage, wenn er meint, dass der Stoff eines halben Jahres in jener Zeit gelernt werden kann, die von zwei normalen Schultagen (mit Nachmittagsunterricht?) übrig bleibt. Sicherlich sollte man zunächst fragen, was den Lehrer zu seiner Maßnahme bewogen hat, doch kann ich mir kaum einen Grund vorstellen, der so etwas rechtfertigt.

Haben die Schüler dagegen eine Art »Notwehrrecht«? Ich bin geneigt, das zu bejahen, und würde es schon fast begrüßen, wenn die Klasse beim nächsten derartigen Fall ein Fanal setzte und kollektiv der Prüfung fernbliebe. Das hieße mit offenen Karten spielen und wäre etwas ganz anderes, als wenn Einzelne schwänzen, um individuell eine bessere Note zu erreichen.

Damit wären wir bei Ihrem Verhalten. Was wollen Sie Ihrem Sohn ermöglichen oder zeigen? Dass er am weitesten kommt, wenn er sich nach außen hin einfügt und hintenherum seinen eigenen Vorteil maximiert? Dienstweggerechtes Vorgehen über die Elternklassenvertretung ist löblich, aber besser noch kann man zum Hörer greifen und den Lehrer oder notfalls den Direktor anrufen. Wenn das nötig wird, weil 16-Jährige sich nicht wehren, scheint mir ohnehin etwas im Argen zu liegen. Auch innerhalb von Machtstrukturen aufrecht zu bleiben verdient eine Eins, mehr als alle Geografiekenntnisse dieser Erde.

Die Bundesländer haben für diese Frage unterschiedliche Regelungen getroffen, nur zwei Beispiele:

SCHULORDNUNG FÜR DIE GYMNASIEN IN BAYERN
§ 44 Schulaufgaben, Kurzarbeiten
(5) Schulaufgaben und Kurzarbeiten werden spätestens eine Woche vorher angekündigt…
IN NIEDERSACHSEN:
Schriftliche Arbeiten in den allgemein bildenden Schulen. RdErl. d. MK v. 16.12.2004 – 33–83 201 (SVBl. 2/2005 S.75*)*
4. Bewertete schriftliche Arbeiten sind in der Regel einige Tage vor der Anfertigung anzukündigen…

Mehr Ersatz als Schaden oder: Recht & Moral

UNVERGESSENE MISSETAT

Als Jugendlicher habe ich oft geklaut. Damals fehlte mir das nötige Rechtsbewusstsein, um so etwas zu unterlassen. Einige der gestohlenen Gegenstände befinden sich noch heute, zwanzig Jahre später, in meinem Besitz, und ich merke seit Längerem, dass es an der Zeit ist, mit diesen Überresten aufzuräumen. Sie zurückzugeben scheint mir jedoch keine Lösung, zumal ich teilweise nicht einmal mehr weiß, woher sie sind. Genauso wenig wie sie wegzuwerfen. Und anzeigen möchte ich mich nach all den Jahren auch nicht mehr. Wie kann ich mein Gewissen beruhigen? JOCHEN M., MÜNCHEN

Leider weiß ich nicht, welcher Konfession Sie angehören. Denn für den Fall, dass Sie katholisch sind, könnte ich eine Bußwallfahrt empfehlen. Andererseits sind wir hier eher für das Weltliche zuständig. Also: Zunächst einmal müssten Sie keine Scheu davor haben, sich anzuzeigen. Wenn Sie bei Ihren Beutezügen keinen Wachmann erschossen haben, ist alles längst verjährt. Eine Bestrafung wäre in Ihrem Fall auch nicht mehr notwendig, denn der Hauptzweck staatlichen Strafens besteht darin, den Täter von weiteren Straftaten abzuhalten und ihn zu gesetzestreuem Verhalten anzuleiten. Das ist bei Ihnen schon erreicht.

Aber Sie haben immer noch die gestohlenen Dinge. Wenn Sie von ihnen belastet werden, wäre eine pragmatische Lösung, sie wegzugeben, notfalls tatsächlich auf den Müll, was Ihr Gewissensproblem mehr verdrängt denn löst. Und es bleibt der damals verursachte Schaden. Sicherlich hat es keinen Sinn, einem Kaufhaus alte, gebrauchte Ware zurückzugeben. Auch die Idee, bewusst dort einzukaufen, um einen Ausgleich zu schaffen, ist nur begrenzt praktikabel, umso mehr, wenn Sie nicht mehr wissen, wo eigentlich.

Deshalb als Letztes: Normalerweise bin ich kein großer Freund davon, sich moralisch freizukaufen. Hier könnte eine Spende aber einmal sinnvoll sein. Zum einen verhindert eine Zuwendung an eine gemeinnützige Einrichtung, dass Ihnen ein »Gewinn« aus den Diebstählen bleibt. Zum anderen kann bei richtiger Auswahl des Empfängers dem Bestohlenen auf Umwegen etwas zurückgegeben werden. Denn der steuerrechtliche Ausdruck »gemeinnützig« bedeutet, dass der Nutzen bei der Allgemeinheit liegt, also wenigstens auch beim Opfer Ihrer Jugendsünden.

Zum Zweck staatlichen Strafens siehe Claus Roxin, *Strafrecht*, Allgemeiner Teil, Band I, C.H. Beck Verlag 2005. §3 : Zweck und Rechtfertigung von Strafe und Maßregeln.

IM ANFANG WAR DAS WORT

Ich bin Student und momentan auf Wohnungssuche in Heidelberg, einer der teuersten Regionen Deutschlands. Jetzt habe ich endlich eine sehr teure Wohnung gefunden und dem Vermieter mündlich zugesagt. Gleichzeitig warte ich aber noch auf die Nachricht einer Wohnungsbaugesellschaft, von der ich vielleicht eine deutlich billigere Unterkunft bekomme.

Kann ich aus moralischer Sicht bis zur Unterzeichnung des Mietvertrags immer noch eine andere Wohnung nehmen, oder habe ich mich mit der mündlichen Zusage bereits verpflichtet? MARCO S., HEIDELBERG

Beim ersten Lesen meint man, dass diese Frage allein mit dem Blick ins Gesetzbuch zu lösen sei. Das trifft zwar zu, aber eben nur für die rechtliche Seite. Da wird man sich dann zu überlegen haben, ob bereits mündlich ein Vertrag geschlossen wurde oder ob der mit einer Unterschrift besiegelt werden muss. Außerdem gilt es zu bedenken, ob Sie sich vielleicht auch ohne Vertrag wegen eines Rechtsprinzips, das »culpa in contrahendo« heißt (Haftung für Verschulden vor oder bei Vertragsabschluss), schadenersatzpflichtig machen würden, wenn Sie nach der Zusage noch abspringen.

Doch soll es hier um die moralischen Aspekte gehen, und da bin ich, Vertrag hin oder her, der Auffassung, dass Sie keinen Rückzieher machen dürfen, nur weil Sie noch nichts unterschrieben haben. Vielleicht klingt das ein wenig altmodisch, aber ich finde, Sie haben ganz einfach »Ihr Wort gegeben«. Deshalb sehe ich Sie ab diesem Zeitpunkt dem Vermieter gegenüber in der Pflicht. Wie sehr, hängt auch davon ab, ob die Wohnung überteuert ist oder er etwa gar Ihre Zwangslage ausnutzt. Allerdings bedeutet das so oder so nicht, dass Sie nun die teure Wohnung nehmen müssen. Wenn es so schwierig ist, in Heidelberg eine Bleibe zu finden, hat Ihr Vermieter vermutlich noch eine Reihe von anderen Interessenten, sodass Ihre Absage kein Problem für ihn darstellt. Anders ist es, wenn diese so kurzfristig kommt, dass zum Termin Ihres Vertragsbeginns kein Ersatz mehr zu finden ist.

Umgekehrt, wenn Sie die Wohnung nehmen und sofort kündigen, würden Sie zwar bei Ihrem Wort bleiben. Mit einem Mieter, der ein- und gleich wieder auszieht, ist jedoch auch niemandem gedient. Sie müssen also mit dem Vermieter reden, sich dabei aber trotz allem der Tatsache stellen, dass Sie es sind, der wortbrüchig wird.

MÜNDIGE BÜRGEN

Ich will vor Gericht ein ausstehendes Honorar einklagen. Durch seine wahrheitsgemäße Zeugenaussage könnte mir mein Bruder zu meinem Recht verhelfen. Doch weil er eine Bürgschaft für den Gegner eingegangen ist, will er nicht aussagen. Er fürchtet, dass die Firma Pleite geht, wenn sie verliert – und er bürgen muss. Deshalb soll ich meine Forderung fallen lassen. Die ist halb so groß wie seine Bürgschaft, sein Einkommen aber ein Vielfaches von meinem. Muss ich verzichten?

HEINRICH W., FÜSSEN

Ihr Problem hat eine rechtliche, eine moralische und eine praktische Komponente. Rechtlich ist es relativ einfach: Nach dem, was Sie schreiben, steht Ihnen das Honorar zu. Ein Prozess ist das gesetzmäßige Mittel, Ihre Forderung durchzusetzen, und im Prozess ist Ihr Bruder ein geeigneter Zeuge. Wird er von Ihnen benannt, ist er verpflichtet, zu erscheinen und die Wahrheit zu sagen, auch wenn er dadurch Schaden erleidet. Umgekehrt gibt es keine juristische Verpflichtung für Sie, auf Ihr Recht zu verzichten, damit Ihr Bruder nicht zahlen muss.

Aus ethischer Sicht kommt ein Aspekt hinzu: Sie beide müssen stets auch die Folgen Ihres Handelns bedenken, und sei es noch so rechtmäßig. Das bedeutet, dass Sie das Vorgehen abstimmen müssen. Ich bin der Meinung, dass Ihr Bruder nicht ohne Weiteres von Ihnen verlangen kann, auf Ihre Forderung zu verzichten, damit er nicht in Gefahr gerät, zahlen zu müssen. Seine Pflicht, vor Gericht die Wahrheit zu sagen, ist auch eine moralische. Zudem trifft die Bürgschaft Ihren Bruder weniger als Sie der Ausfall Ihres Honorars. Er kann Sie bitten, seines Geldes wegen auf Ihres zu verzichten, ist dann jedoch verpflichtet, Ihnen einen Teil zu ersetzen. Wie viel, bleibt eine Frage unter Brüdern.

Schließlich ist es rein praktisch gesehen wohl nicht sicher, dass die Firma nach dem verlorenen Prozess insolvent wird. Andererseits kann das auch ohne Ihre Forderung passieren. Ich weiß nicht, wie viel Sie zu bekommen haben, es ist aber deutlich weniger als das, wofür Ihr Bruder bürgt. Wenn die Auszahlung eines einzigen Honorars die Existenz der Firma bedroht, scheint sie sowieso auf ziemlich wackeligen Beinen zu stehen. Ihr Bruder könnte früher oder später ohnehin herangezogen werden. Da könnte es unterm Strich für Sie beide besser sein, wenn Sie doch jetzt versuchen, Ihr Geld zu bekommen.

NOCH BEI MAMA?

In meinem Bekanntenkreis gibt es ein unverheiratetes Paar, er selbstständig, sie angestellt, zwei Kinder. Er ist Hausbesitzer (und Schwabe) und vermietet des Haus aus steuerlichen Gründen an seine »alleinerziehende« Lebensgefährtin. Offiziell ist er bei seiner Mutter gemeldet, tatsächlich wohnt er jedoch mit seiner Familie zusammen. Eine Heirat kommt für ihn aus finanziellen Gründen nicht in Frage. Ich finde das Verhalten meines Bekannten unmöglich. Soll ich ihn anonym beim Finanzamt anzeigen? JOCHEN P., MÜNCHEN

Eins vorneweg: Ich bin kein großer Freund des »Anzeigens«. Es überrascht mich, wie viele Zuschriften sich mit dieser Frage beschäftigen, häufig aus recht zweifelhaften Motiven. Sie werden daher von mir nur selten die Antwort bekommen, dass Sie anzeigen sollen. Wenn Sie dagegen fragen, ob Sie Ihren Bekannten melden dürfen, sage ich ja, denn sein Verhalten ist falsch.

Das liegt nicht daran, dass es unmoralisch wäre, in einer bestimmten Konstellation zu leben, nur um Steuern zu sparen; »Pecunia non olet«, rechtfertigte Kaiser Vespasian seine Einnahmen aus der Besteuerung von Bedürfnisanstalten. Und das muss umgekehrt auch für den Steuerzahler gelten.

Das Steuersystem selbst ist wertneutral. So kann derzeit jeder Arbeitnehmer für jeden Kilometer Entfernung zum Arbeitsplatz den gleichen Betrag geltend machen. Das sei eine Subventionierung des Fahrrads, das kaum Kosten verursache, sagen manche. Falsch, sagen andere, ungerecht sei die vorherige Regelung gewesen, nach der, wer umweltfreundlich zur Arbeit radelte, wesentlich weniger absetzen konnte. Das ist mit moralischen Maßstäben kaum zu fassen, entscheidend ist nur die Gesetzeslage.

Ähnlich verhält es sich mit dem Fall Ihres Bekannten. Die Vermietung an die nichteheliche Lebenspartnerin steuerlich nicht anzuerkennen, sei falsch, weil ein Widerspruch zum Vertragsrecht, sagen die einen. Wer sein Haus selbst nutzt, und sei es als Mitbenutzung in der Lebensgemeinschaft, vermiete es nicht, sagen die anderen. Und weil zu diesen anderen der Bundesfinanzhof und das Finanzamt gehören, spielt der schwäbische Hausbesitzer die Muttersöhnchennummer. Und nur das, nämlich die Täuschung, ist unmoralisch. Darum haben Sie das Recht, das Finanzamt zu verständigen. Falls Sie nicht Steuerprüfer sind, haben Sie aber keine Pflicht dazu. Ihre Idee, anonym bleiben zu wollen, legt jedoch nahe, dass Sie sich auch nicht wirklich wohl dabei fühlen, vielleicht weil Sie das Vertrauen Ihres Bekannten missbrauchen. Und das wiederum wäre nicht in Ordnung.

Grundlegend zu diesem Thema sind die Urteile des BUNDESFINANZHOFS vom 8. August 1990, Bundessteuerblatt 1991, Teil II, S. 171, und vom 30. Januar 1996, Bundessteuerblatt 1996, Teil II, S. 359.

ABRECHNEN, ABER RICHTIG

Ich bin Fußballschiedsrichter und bekomme eine Reisekostenentschädigung von 30 Cent pro Kilometer. Ich kenne noch drei weitere Schiedsrichter, die alle grundsätzlich zehn Kilometer mehr aufschreiben, als sie fahren. Da wir alle benachbart sind, würde der »Betrug« auffallen, wenn ich zu den gleichen Stadien weniger abrechne als sie. Nun stelle ich mir die Frage, ob ich ebenfalls zehn Kilometer mehr berechnen und damit den gastgebenden Verein schädigen oder doch lieber die wirklich gefahrenen Kilometer aufschreiben sollte, auch wenn ich die »Kollegen« damit in die Gefahr einer Strafe bringe. Können Sie mir helfen?

PAUL D., MÜNCHEN

Was steht sich hier gegenüber? Auf der einen Seite die Solidarität mit Ihren Kollegen, auf der anderen Seite die auch rechtliche Pflicht, richtig abzurechnen und sich nicht unberechtigt zu bereichern. Die gilt unabhängig davon, ob oder wie wenig Honorar man bekommt.

Man muss sicherlich nicht mit einem Meterstab hinter dem Auto herlaufen und die Zentimeter nachmessen. Wenn man vergessen hat, den Tachostand abzulesen, muss man sich bei der Schätzung auch nicht absichtlich benachteiligen.

Aber planvoll wissentlich jeweils zur eigenen Bereicherung mehr aufzuschreiben, ist schlicht und einfach Betrug ohne Anführungszeichen. Selbst wenn es nur um drei Euro geht; wenn die nicht zählen, braucht man sie auch nicht zu erschleichen.

Man kann überlegen, ob Sie gegenüber Betrügern fair sein müssen. Unter »Sportfreunden« liegt es jedenfalls nahe. Deshalb böte sich an, Ihre Kollegen darauf hinzuweisen, dass Sie korrekt abrechnen und die Täuschungen dadurch auffallen könnten. Mitmachen, um sie zu decken, müssen Sie auf keinen Fall. Ja, Sie dürfen es nicht einmal. Falsch verstandene Solidarität ist weder Grund noch Rechtfertigung für eigenes Fehlverhalten.

Strafgesetzbuch (StGB)
§ 263 Betrug
(I) Wer in der Absicht, sich oder einem Dritten einen rechtswidrigen Vermögensvorteil zu verschaffen, das Vermögen eines anderen dadurch beschädigt, dass er durch Vorspiegelung falscher oder durch Entstellung oder Unterdrückung wahrer Tatsachen einen Irrtum erregt oder unterhält, wird mit Freiheitsstrafe bis zu fünf Jahren oder mit Geldstrafe bestraft.

ZURECHTGESCHMUGGELT

Für die Arbeit an einem technikgeschichtlichen Buch studiere ich in einem Archiv wertvolle Original-Unterlagen mit Fotos, die für mein Buch wichtig sind. Eine Ausleihe ist nicht möglich. Man kann Reproduktionen bestellen, die leider teuer und zu schlecht für den Abdruck sind. Deshalb habe ich wie ein Dieb klopfenden Herzens einzelne Fotos herausgeschmuggelt, in hoher Qualität scannen lassen und heimlich wieder im Archiv platziert. Was ist von meiner Verfahrensweise zu halten? KURT P., BERLIN

Ihr Anliegen kann man gut nachvollziehen: Halten Sie sich an die Nutzungsbedingungen, kostet Sie das mehr, die Reproduktionen werden schlecht, und Ihr Buch enthält keine oder mangelhafte Bilder. Mit Ihrer »Verfahrensweise« dagegen sparen Sie Geld, der Abdruck wird besser, und am Ende befinden sich auch die Originalfotos wieder an Ort und Stelle. Geht man davon aus, dass Ihr Buch mit den guten Abbildungen die Welt irgendwie wissenschaftlich oder publizistisch bereichert, hat Ihre Schmuggellösung im Vergleich die Nase vorn. Denn wenn das externe Scannen die Fotos nicht stärker in Mitleidenschaft zieht (!), entsteht, und das scheint das Bestechende daran, kein Schaden.

Wirklich nicht? Bei ein paar Archivfotos mag es ein wenig hochgegriffen klingen, aber trotzdem, etwas wird beschädigt: die Rechtsordnung. Das spüren Sie auch, wenn Sie »wie ein Dieb klopfenden Herzens« handeln nicht nur wegen der Gefahr, entdeckt zu werden und in Erklärungsnöte zu geraten. Das, was Sie tun, mag kein strafbarer Diebstahl sein, verboten ist es trotzdem. Sich darüber hinwegzusetzen mindert die Rechtssicherheit, selbst wenn Ihr Handeln vom praktischen Ergebnis her sinnvoller wäre. Der Rechtsphilosoph Gustav Radbruch hat für diesen Fall seine berühmte Formel aufgestellt: »Der Konflikt zwischen der Gerechtigkeit und der Rechtssicherheit dürfte dahin zu lösen sein, dass das positive, durch Satzung und Macht gesicherte Recht auch dann den Vorrang hat, wenn es inhaltlich ungerecht und unzweckmäßig ist, es sei denn, dass der Widerspruch des positiven Gesetzes zur Gerechtigkeit ein so unerträgliches Maß erreicht, dass das Gesetz als unrichtiges Recht der Gerechtigkeit zu weichen hat.«

Eins bleibt: Ist es richtig, die Rechtssicherheit so hochzuhalten? Ich finde schon. Mir persönlich ist es beispielsweise lieber, das Verbot, anderen ins Gesicht zu schlagen, gilt absolut; unabhängig davon, ob mein Gegenüber gerade meint, er sei moralisch dazu berechtigt, mir wegen meiner, wie er findet, banalen Antworten eine Ohrfeige zu verpassen.

Seine berühmte Formel hat GUSTAV RADBRUCH in dem Aufsatz *Gesetzliches Unrecht und übergesetzliches Recht* (Süddeutsche Juristenzeitung 1946, S. 105–108) geprägt. Nachzulesen ist der Aufsatz beispielsweise als Anhang zu der Studienausgabe der *Rechtsphilosophie* von GUSTAV RADBRUCH, erschienen 2003, 2. Auflage, als UTB im Verlag C. F. Müller.

MEHR ERSATZ ALS SCHADEN

Bei unserem Umzug entstand ein Bagatellschaden von ein paar hundert Euro, den die Versicherung des Umzugsunternehmens auch klaglos bezahlt hat. Inzwischen allerdings ist es mir zufällig gelungen, den Schaden selbst zu beheben, was nicht absehbar war, als wir den Schadensbericht einreichten. Sind wir nun moralisch verpflichtet, den Schadensersatz zurückzugeben? BRIGITTE UND KARL D., WORMS

Finge ich nun an, mit der Goldenen Regel zu argumentieren, etwa: »Stellen Sie sich vor, Sie waren in der Situation der Versicherung«, so mancher treue Leser würde sicherlich ein wenig stöhnen: Nicht schon wieder! Zudem wirkt diese Moralkrücke, auch wenn sie irgendwie funktioniert, an dieser Stelle nicht nur banal, sondern sogar ein wenig unpassend. Warum? Die Goldene Regel überprüft die unterschiedliche Position von Beteiligten; das Problem hier liegt aber weniger in strukturellen Ungleichgewichten, vielmehr ist in einer Konstellation, die im Übrigen funktioniert, an einer Stelle eine Störung aufgetreten.

Um derartige Situationen zu untersuchen, hat der Münchner Rechtsphilosoph Lothar Philipps die Idee entwickelt, den »Defekt« jeweils gedanklich zu spiegeln, sich also das

»Gegenteil« des Fehlers vorzustellen. Wie könnte solch eine Philipps'sche Spiegelung hier aussehen? Der Defekt liegt in der Höhe des Schadens, also muss man auch an dieser Stelle spiegeln; man müsste sich vorstellen, das Unglück zeigte sich nachträglich nicht kleiner, sondern größer als gedacht: Der Schreiner stellt fest, dass die Reparatur der Kommode viel teurer wird, als es zuerst den Anschein hatte. In diesem Fall könnten Sie erwarten, dass die Versicherung die Zusatzkosten ebenso klaglos bezahlt. Denn: Es geht darum, den wirklichen Nachteil auszugleichen und nicht das, was am Anfang zufällig sichtbar war. Diese Regel, die wir durch die Philipps'sche Spiegelung gewonnen haben, muss dann aber genauso auf der anderen Seite der Achse gelten: Entscheidend ist der tatsächliche Schaden, auch wenn er geringer ausfällt als erwartet.

Handelt es sich also nicht nur um ein paar Euro und auch nicht um eine Ersparnis, die Sie mit Wochenenden im Hobbykeller mühsam selbst erarbeitet haben, sollten Sie das der Versicherung mitteilen und eventuell etwas zurückerstatten.

LOTHAR PHILIPPS hat Spiegelungen in verschiedenen Aufsätzen behandelt. Beispielweise in:

Strafrechtsprobleme in der Ästhetik des Kriminalromans, in: HEIKE JUNG (Hrsg.), *Das Recht und die schönen Künste, Heinz Müller-Dietz zum 65. Geburtstag* Nomos Verlagsgesellschaft, 1998, S. 189–203

Täter und Teilnehmer, Versuch und Irrtum. Ein Modell für die rechtswissenschaftliche Analyse, in der Zeitschrift *Rechtstheorie* Bd. 5 (1974), S. 129–146

Ein Verzeichnis der Schriften LOTHAR PHILIPPS' findet sich als Anhang des von Bernd Schünemann, Marie-Theres Tinnefeld und Roland Wittmann herausgegebenen Bandes *Gerechtigkeitswissenschaft – Kolloquium aus Anlass des 70. Geburtstags von Lothar Philipps,* Berliner Wissenschafts-Verlag 2005.

KEIN GLAS FÜR PFAND

Bei meinem letzten Biergartenbesuch wurde mir an der Kasse für mein Bierglas keine Pfandmarke ausgehändigt. Ich wusste nicht, dass man die braucht, sonst hätte ich nachgefragt. Die Geschirr-Rückgabe nahm das Glas ohne Pfandmarke nicht an. Also stand ich vor der Wahl, es stehen zu lassen oder es quasi als Entschädigung mitzunehmen. Ich weiß, dass das Pfand kein Kaufpreis ist und nicht zur Mitnahme berechtigt. Es gab jedoch keine Möglichkeit, mein gezahltes Pfand wieder zurückzubekommen. Was sagen Sie dazu?

MATTHIAS M., MÜNCHEN

Zum Glück wollen Sie nicht, wie etliche andere Fragesteller, wissen, ob man bei bezahltem Pfand das Glas ohne Weiteres mit nach Hause nehmen dürfe. Nur am Rande: nein! Ihre Konstellation dagegen hat etwas Besonderes: Sie wollen das Richtige tun, aber egal, wie Sie sich verhalten, erleidet einer der Beteiligten einen Schaden: Lassen Sie das Glas stehen, gehen Sie des Pfandes verlustig, nehmen Sie es mit, verliert umgekehrt der Wirt die Differenz zwischen Glaswert und Pfandwert.

Was nun? Ich persönlich neige in derartigen Situationen, in denen entweder mir oder meinem Gegenüber ein überschaubarer Schaden droht, zu einer Art Alltagspazifismus: Steht ein Schlag bevor, scheint es mir – ganz im Sinne der Bergpredigt – für das Zusammenleben förderlicher, wenn man seine eigene Wange hinhält, statt selbst zuzuschlagen. Ich würde auf das Pfand verzichten und das Glas stehen lassen, bevor ich meinem Gegenüber schade. (Und hier dazu noch mir, denn was will ich mit einem einzelnen gebrauchten Bierglas?) Andererseits kommt der Wurm vonseiten des Biergartens, es ist dessen Aufgabe, Ihnen eine Pfandmarke auszuhändigen, wenn eine solche erforderlich ist. Dann sollte der Schaden auch dort bleiben – mit einem Haken: Die Mitnahme stellt trotz allem einen Diebstahl dar!

Wäre ich kein Jurist, den so etwas bindet, könnte am Ende ein ganz anderer Aspekt die Lösung zeigen: Der Wert, um den es geht, ist so gering, dass sich die im Grunde notwendige ordentliche Klärung mit Kasse und Wirt schlicht nicht lohnt. Das scheint mir aber ein Zeichen zu sein, dass sich umgekehrt auch weder Ärger noch Gewissensbisse wirklich lohnen. Wenn das Dilemma aus dem Praktischen kommt, sollte man es auch dort lösen. Also könnte man das machen, wonach einem im Moment eher zumute ist. Biergartenleben eben.

Aus der Bergpredigt im Evangelium nach MATTHÄUS 5, 38–39

»Von der Vergeltung

Ihr habt gehört, dass gesagt worden ist: Auge für Auge und Zahn für Zahn. Ich aber sage euch: Leistet dem, der euch etwas Böses antut, keinen Widerstand, sondern wenn dich einer auf die rechte Wange schlägt, dann halt ihm auch die andere hin.«

STRAFGESETZBUCH (STGB)

§ 242 Diebstahl

(I) Wer eine fremde bewegliche Sache einem anderen in der Absicht wegnimmt, die Sache sich oder einem Dritten rechtswidrig zuzueignen, wird mit Freiheitsstrafe bis zu fünf Jahren oder mit Geldstrafe bestraft.

Der Schönredner oder: Die Erleichterung des täglichen Lebens

NICHT FIT

Ich bin Mitglied in einem Fitnessstudio, in dem zum Großteil ausländische Mitbürger verkehren. Der Inhaber hat sich nun dazu entschlossen, bis auf Weiteres nur noch Deutsche aufzunehmen. Eigentlich wollte ich deshalb kündigen, aber ein Freund von mir meinte, die Maßnahme sei vernünftig, weil nur so gewährleistet werden könne, dass sich beide Gruppen gleichermaßen wohl fühlen; nur so werde interkultureller Austausch ermöglicht. Ist der Schritt des Besitzers moralisch zu rechtfertigen? WILLI K., MÜNCHEN

Interkulturellen Austausch und die Verständigung zwischen verschiedenen Bevölkerungsgruppen zu fördern ist ehrenwert und hoch zu schätzen. Das kann man über die Idee, dafür bis auf Weiteres nur noch Deutsche aufzunehmen, nicht sagen. Es bedeutet, ausländische Mitbürger, »Nichtdeutsche« eben, wegen ihrer Herkunft abzuweisen, damit schlicht zu diskriminieren. Kann so etwas in Ordnung sein, wenn es tatsächlich nicht in abwertender, sondern im Gegenteil fördernder Absicht geschieht, vorausgesetzt, das stimmt wirklich und wird nicht nur vorgeschoben?

Es gibt Mittel, die man niemals ergreifen darf, selbst um des hehrsten Zieles willen. So überraschend es klingen mag,

Diskriminierung gehört nicht dazu, ist nicht in jedem Fall und automatisch unzulässig. So hält der Europäische Gerichtshof eine Bevorzugung von Frauen und damit spiegelbildlich die Diskriminierung von Männern in Grenzen für hinnehmbar, »um in der faktischen Wirklichkeit bestehende Ungleichheiten zu verringern«. Im Unterschied zu Ihrem Fall nimmt man dabei hin, Mitglieder einer im Lebensalltag besser gestellten Gruppe zurückzusetzen, um die Schwächeren zu fördern. Der Studiobesitzer will jedoch, um neben der körperlichen auch die soziale Fitness zu stärken, gerade die oftmals benachteiligte Minderheit quasi zu ihren eigenen Gunsten zurücksetzen. Das scheint mehr als zweifelhaft.

Den Ausschlag gibt für mich am Ende eine weitere Überlegung: Die Verständigung zwischen Kulturen beinhaltet eine starke emotionale Komponente. Die aber wird durch einen Aufnahmestopp von ausländischen Mitbürgern stärker beeinträchtigt als durch ein ausgewogenes Zahlenverhältnis gefördert. Die Maßnahme ist somit kein taugliches Mittel. Sie können zwar verhindern, dass jemand erstochen wird, indem Sie ihn vorher erwürgen, aber Sie können niemandem das Leben retten, indem Sie ihn erschießen. Und so ähnlich ist es hier: Mit Hilfe von Diskriminierung lässt sich Verständigung nicht fördern. Gute Absicht hin oder her.

EUROPÄISCHER GERICHTSHOF
Urteil vom 17.10.1995 Rs. 450/93 – Kalanke
Urteil vom 11.11.1997 – Rs. C-409/95 – Marschall

KEINE HOCH-ZEIT

Vor einiger Zeit war ich auf die Hochzeit von guten Freunden eingeladen. Auf diesem Fest fühlte ich mich überhaupt nicht wohl. Die Stimmung war unterkühlt, das Essen reichte nicht, die Gespräche waren mühsam, die Örtlichkeit trist. Offensichtlich empfand nicht nur ich dies so – viele Freunde verließen die Feier relativ früh. Nur das Hochzeitspaar war von dem Fest restlos begeistert und sprach noch Tage danach sehr glücklich darüber. Auf Nachfragen der beiden, ob mir der Abend auch gefallen habe, äußerte ich mich, entgegen meiner eigentlichen Meinung, positiv, um sie nicht zu verletzen. Habe ich richtig gehandelt? KAI-UWE W., MÜNSTER

Sie verwenden das Wort nicht, aber Sie haben Ihren guten Freunden ins Gesicht gelogen. Dies begründen Sie damit, sie nicht verletzen zu wollen. Und – das mag Sie jetzt vielleicht überraschen – ich kann Ihnen nur zustimmen. Auch wenn ich gestehen muss, dabei ein klein wenig Bauchschmerzen zu verspüren. Seit Jahren schreibe ich immer wieder gegen die Lüge und versuche, sie in unserer Gesellschaft zurückzudrängen. Es wäre auch ziemlich einfach, Ihr Lügen mit einer Batterie von Zitaten und schwergewichtigen Namen streng logisch und konsequent zu verdammen. Trotzdem erscheint es mir hier nicht sinnvoll. Ehrlichkeit ist ein hoher Wert, aber nicht der einzige. Daneben gibt es auch das Gebot, andere nicht zu verletzen, und das wiegt meiner Meinung nach in diesem Fall schwerer.

Ein Brautpaar fiebert lange auf den Tag hin, gibt sich Mühe, es soll eine Hoch-Zeit, also etwas ganz Besonderes werden, nicht umsonst wird der Tag oft auch als der schönste des Lebens bezeichnet. Und dann kommen Sie und sagen: Da habt ihr euch getäuscht. Die Erkenntnis, sich an diesem Tag getäuscht zu haben, reift zwar so manchem Paar im Laufe der Jahre von allein, so kurz nach dem Jawort zerstören Sie jedoch Träume und Glück. Sie verletzen tatsächlich Ihre Freunde, und das wegen einer Sache, bei der sie, da in nächster Zeit wohl keine weitere Hochzeitsfeier ansteht, wenig aus der Wahrheit lernen können.

Das zwingt Sie jetzt auch nicht dazu, Begeisterung zu heucheln. Langatmige Lobpreisungen eines vorgeblich gelungenen Fests wären hier nicht nur nicht geboten, sondern fehl am Platze. Sowie keine Verletzung des anderen mehr droht, senkt sich die Waagschale wieder zugunsten der Ehrlichkeit.

DER SCHÖNREDNER

Eine Freundin, die nicht gerade übermäßig mit Selbstbewusstsein ausgerüstet ist, hat sich nach intensiven Überlegungen und Recherchen in diversen Frauenmagazinen dazu durchgerungen, sich ihre langen Haare abschneiden zu lassen. Mit zweifelhaftem Ergebnis! Nun stellt sich mir die Frage, ob ich ihr gegenüber ehrlich zugeben soll, dass mir die neue Frisur nicht gefällt, oder ob ich mich als ehrlicher Freund zu Loyalität und Ermutigung verpflichtet sehen und das Ergebnis somit schönreden sollte? ALEXANDER S., HANNOVER

»Schönreden« ist das passende Stichwort, vor allem für Ihre Frage. Es geht nämlich weniger um »Zugeben« oder »Ermutigung«, sondern schlicht um Lügen; ein großes Thema in der Moralphilosophie. Immanuel Kant sah in der Lüge die »größte Verletzung der Pflicht des Menschen gegen sich selbst« und forderte demnach sogar in Notsituationen Wahrhaftigkeit, mag »daraus auch noch so großer Nachteil erwachsen«. Diese Auffassung teilten schon zu Kants Zeiten bei Weitem nicht alle, und inzwischen gibt es Forschungen, welche in der Lüge ein notwendiges Instrument des sozialen Zusammenlebens, gar einen Motor der Evolution erblicken.

Kants kategorisches Lügenverbot steht in der Tradition des Kirchenlehrers Augustinus, der im vierten Jahrhundert ebenso kategorisch jede Lüge zur Sünde erklärte. Mit seinen beiden Büchern *Die Lüge* und *Gegen die Lüge* brachte er die bis dahin offene Diskussion über ein Jahrtausend lang fast zum Erliegen und beeinflusst sie noch heute. Ob man seiner Linie nun folgen will oder nicht, bei ihm findet sich die Erklärung, warum Sie hier besser ehrlich sein sollten: »Wenn nämlich einer mit Hilfe der Lüge einen Mitmenschen zur Annahme der Wahrheit tauglich machen will, versperrt er ihm den Zugang zur Wahrheit.«

Genau das ist hier der Fall. Angenommen, der kurze Haarschnitt sieht bei Ihrer Freundin wirklich unvorteilhaft aus, so wird sie das nie erfahren, wenn alle wahrheitswidrig stets das Gegenteil betonen. Deshalb brauchen Sie ihr nicht ins Gesicht zu sagen, wie grauenvoll sie mit kurzen Haaren und damit für die nächsten Jahre aussieht (ohnehin bedenklich bei einer Geschmacksfrage), sondern dass Ihnen die langen besser gefallen haben. Haare wachsen wieder, und eine Frisur kann man ändern. Die Gelegenheit dazu bekommt die Kurzgeschorene aber nur, wenn man aufrichtig zu ihr ist, worauf sie bei Freunden ein Anrecht hat. Das und nicht die bequeme Lüge bedeutet Loyalität.

Aurelius Augustinus, *Die Lüge* und *Gegen die Lüge*, übersetzt von Paul Keseling, Augustinus Verlag 2007

IMMANUEL KANT, *Metaphysik der Sitten,* AA Band VI, als günstige Ausgabe erschienen im Reclam Verlag
IMMANUEL KANT, *Über ein vermeintliches Recht aus Menschenliebe zu lügen,* Werkausgabe, hrsg. von Wilhelm Weischedel, Band VIII, Suhrkamp Verlag 1978

TOTAL VERBOHRT

Vor einigen Wochen habe ich eine Bohrmascbine (ca. 20 Jahre alt) ausgeliehen und leider kaputt gemacht. Ich besorgte rasch eine neue und schlug dem Besitzer vor, den Kaufpreis (55 Euro) zu teilen. Der war nicht einverstanden, weil er emotional an seinem Gerät gehangen habe und kein neues wolle, sondern dieses unversehrt zurück. Ohne Frage steht ihm ein Ersatz zu, aber sollte der Zeitwert nicht auch beachtet werden, wie zum Beispiel bei Autoversicherungen üblich? Den emotionalen Wert hätte ich lieber anders ausgeglichen als durch Geld. BETTINA S., KARLSRUHE

»Da muss ich mich wohl getäuscht haben«, dachte ich nach dem ersten Lesen. Sie haben sich also eine Bohrmaschine ausgeliehen, diese kaputt gemacht und wollen nun um siebenundzwanzig Euro fuffzig mit demjenigen verhandeln, bei dem Sie sich stattdessen fürs Leihen bedanken und fürs Kaputtmachen entschuldigen sollten. Und nun hoffen Sie womöglich allen Ernstes, von mir zu hören, dass das in Ordnung sei.

Natürlich haben Sie streng genommen Recht, dass lediglich der Zeitwert zu ersetzen ist. Aber das kann man doch wirklich nur bei größeren Werten in Erwägung ziehen! Oder dann, wenn es um Geschäftsbeziehungen geht, wie mit einer Versicherung oder mit einem Unfallgegner. Im *Papyrus Insinger,* einem altägyptischen Weisheitstext, kann man lesen: »Der Geizige gibt selbst dem nicht gern, der ihm gegeben hat.« Sowie noch mehr über die üblen Folgen des Geizes:

»Geiz bringt Kampf und Streit ins Haus. Geiz tilgt Ehrgefühl, Mitleid und Vertrauen aus dem Herzen. Geiz bringt Leid in die Familie.« Sicherlich ist es ein wenig hart, Ihnen wegen einer im Prinzip berechtigten Überlegung Geiz vorzuwerfen. Aber es ist nun einmal so: Jemand hat Ihnen einen Gefallen getan, und Sie vergelten ihm das mit Argumenten und Rechnerei.

Und schließlich: Dass Sie den emotionalen Wert anders handhaben wollen als durch Geld, finde ich schön und richtig. Ich hätte da sogar einen Vorschlag: Wie wäre es zum Beispiel, wenn Sie dem enttäuschten Heimwerker zusammen mit einer Entschuldigung eine neue Bohrmaschine, vielleicht sogar eine bessere als vorher, quasi als Präsent überreichen und dabei, das ist das Entscheidende, kein Wort über Geld verlieren?

Der *Papyrus Insinger*, eine wohl aus der Zeit um 300 v.Chr. stammende altägyptisehe Lebenslehre, ist benannt nach Jan Herman Insinger, der die Papyrusrolle 1895 für das Rijksmuseum in Leiden kaufte, wo sie auch heute noch aufbewahrt wird.
Eine deutsche Übersetzung findet sich in: *Die Weisheitsbücher der Ägypter*, herausgegeben von Helmut Brunner, Artemis & Winkler Verlag 1998.

UNGELIEBTE BESATZUNGSMACHT

Wenn ich in ein Theater oder Kino gehe, dessen Zuschauerplätze nicht nummeriert sind, versuche ich, möglichst früh da zu sein, um einen guten Platz zu ergattern. Oft kommt es dabei vor, dass jemand im Publikum sitzt, der mehrere Plätze für Freunde reserviert, die später kommen. Mich ärgert das, und ich bin manchmal geneigt, mir trotzdem einen dieser »besetzten« Stühle zu nehmen; schließlich bin ich für einen guten Platz extra früh gekommen. Hätte ich dazu ein Recht? Und darf jemand Plätze für Leute belegen, die erst kurz vor der Vorstellung kommen? ANNEMARIE P., MÜNCHEN

Für Ihr Problem gibt es einen theoretischen und einen praktischen Ansatz. Für den theoretischen muss man sich erst einmal klar machen, worum gestritten wird: um knappe Güter. Es gibt zwar insgesamt genügend Platze, aber zu wenig gute. Damit ist man in einem der schwierigsten Felder der Ethik: der gerechten Verteilung.

Da kann man schon einmal streiten, ob überhaupt das Prinzip »Wer zuerst kommt, mahlt zuerst« gerecht ist. Wäre es nicht besser, die guten Plätze nicht den schnellsten, sondern denen zu geben, die sie dringender benötigen, weil sie beispielsweise schlechter sehen? Wenn man aber keinen Sehtest an der Kinokasse einführen will, lebt der Grundsatz wieder auf, dass alle gleich behandelt werden müssen, solange es keine Gründe für eine Ungleichbehandlung gibt. Dieser Grundsatz aber wird ausgehebelt, wenn einer allein beliebig viele Sitze in Beschlag nehmen und dann wie ein Großgrundbesitzer nach Gutdünken verteilen kann. Das kann nicht richtig sein. Wie »Ein Kopf, eine Stimme« bei der demokratischen Wahl muss folglich im Kino gelten »Ein Hintern, ein Platz«.

So weit die Theorie. Aber sind die Klappsitze im Zuschauerraum wirklich der richtige Ort, um Prinzipien zu verteidigen? Ich finde, man sollte Theorie hin oder her auch hier versuchen, eine Lösung zu finden, die möglichst viele zufriedenstellt. Jeder will doch gelegentlich einmal einen Platz frei halten und manchmal auch für zwei. Das systematische Blockieren ganzer Reihen dagegen belästigt die anderen Platzsuchenden. Das muss nicht toleriert werden. Wie so oft liegt die Lösung auch hier in der Mitte.

DURCHGESCHLÄNGELT

Ich hasse lange Schlangen im Supermarkt. Deshalb stelle ich mich bereits an der Kasse an, während meine Freundin noch die letzten Sachen zusammensammelt. Ist mein Verhalten unmoralisch, weil ich mir einen Vorteil gegenüber denen verschaffe, die sich erst mit vollem Wagen anstellen?

CARLOS R., MÜNCHEN

Gefühlsmäßig kann man Ihre Bedenken verstehen, aber rational? Ein Vorteil ist ja noch nichts Schlechtes. Ist es unmoralisch, wenn Sie eine Treppe rascher hochsteigen und deshalb eher oben sind? Ist es unmoralisch, wenn Sie zum Bäcker gehen und Ihre Freundin währenddessen zum Metzger, damit der Einkauf schneller geht? Irgendjemand steht nun in der Schlange hinter Ihnen, der sonst vor Ihnen wäre. Dafür steht er beim Bäcker gar nicht an, weil Sie dort schon fertig sind. Unterm Strich sehe ich keinen Schaden; wenn Sie auch noch Ihren Müslikauf einem Time-Management unterordnen wollen, können Sie das tun. Es sei denn, Sie gehören zu denen, die dann an der Kasse alle aufhalten, weil die Freundin doch noch nicht da ist.

DER NAHSITZER

Kürzlich war ich im Kino. Sehr wenige Zuschauer. Kurz nach Beginn der Vorstellung setzte sich ein Mann direkt auf den Platz neben mir. Ich war sauer, traute mich aber aus Höflichkeit nicht, mich wegzusetzen. So habe ich mich den ganzen Film über geärgert. War das höflich oder blöd von mir?

DANIEL D., MÜNCHEN

Sich ostentativ wegzusetzen beinhaltet etwas Unfreundliches. Das wäre dann gerechtfertigt, wenn sich der andere seinerseits unfreundlich verhalten hat. War das so? Schließlich hat er sich nur auf einen Kinositz seiner Wahl gesetzt; ein Recht, das er sich mit dem Kauf einer Karte erworben hat.

Doch ist eine rechtliche Befugnis allein noch nicht alles. Worum es hier geht, ist die Frage des räumlichen Abstands zwischen Menschen, in der Verhaltensforschung auch »personal space« genannt: eine Art Blase, ein Raum um eine Person herum mit unsichtbaren Grenzen, in die ein Fremder nicht eindringen sollte. Der Klassiker auf diesem Gebiet ist das 1966 erschienene Buch *The Hidden Dimension* des amerikanischen Anthropologen Edward T. Hall. Darin prägte Hall den Begriff »proxemics« (Proxemik) für die Lehre des Verhaltens in Bezug auf Wahrnehmung und Umgang mit Raum.

Er unterschied verschiedene Distanzzonen, von intim über persönlich und sozial bis öffentlich. Der Sitzabstand im Kino fällt unter die persönliche Distanz (45 bis 120 cm), die man nur bei Wunsch nach Nähe oder Platzmangel eingeht, etwa im voll besetzten Kino. Beides lag bei Ihnen nicht vor.

In jüngeren Forschungen der Proxemik werden verschiedene Funktionen dieses »personal space« diskutiert: die Kontrolle von Handlungsfreiheit und persönlicher Sicherheit (Schutz vor Bedrohung und Stress), die Steuerung der Kommunikation (mehr Nähe bedeutet mehr Austausch und Intimität) und die Möglichkeit der Privatheit zur Erholung. All dies hat Ihr ungeliebter Nebenmann beeinträchtigt.

Trotz scheinbarer Friedlichkeit hat er sich also nicht einfach komisch benommen, sondern, indem er Ihren »personal space« grundlos missachtete, als echter Störenfried eine Breitseite von sozialem Missverhalten abgefeuert. Das müssen Sie sich nicht bieten lassen. Bei so einer Frechheit stellt es schon eine Leistung dar, nicht laut oder handgreiflich zu werden. Sich einfach stumm wegzusetzen, wäre nicht unhöflich, sondern nachgerade nobel.

Edward T. Hall, *The Hidden Dimension,* Wiederauflage Anchor Verlag 1990. Die deutschen Ausgaben *Die Sprache des Raumes,* erschienen 1976 im Pädagogischen Verlag Schwann und 1994 im Cornelsen Verlag, sind leider auch antiquarisch kaum mehr erhältlich.

DANKE, GUT

Häufig fragen mich Leute nach meinem Befinden, mit denen ich eigentlich kaum was zu tun habe. Ich antworte dann fast immer mit einem knappen »gut«, auch wenn das gar nicht stimmt; ich will einfach nicht jedem meine Probleme und Sorgen preisgeben. Ist es moralisch gerechtfertigt, auf die alltägliche Frage »Wie geht's?« mit »gut« zu antworten, auch wenn man das gar nicht so meint? ALICE R., STUTTGART

Muss es stets verwerflich sein, von der Wahrheit abzuweichen? In seiner *Preisschrift über die Grundlage der Moral* verteidigte Arthur Schopenhauer die Lüge zum Schutz der Privatsphäre: »Denn, wie ich das Recht habe, dem vorausgesetzten bösen Willen anderer und der demnach präsumierten physischen Gewalt physischen Widerstand ... entgegenzustellen ..., so habe ich auch das Recht, dasjenige auf alle Weise geheim zu halten, dessen Kenntnis mich dem Angriff anderer bloßstellen würde ...« Noch prägnanter formulierte das die Düsseldorfer Philosophin Simone Dietz: »Niemand hat allein durch seine Frage schon ein Recht auf Auskunft. Wenn ich, um meine Privatsphäre zu schützen, den anderen belüge, verletze ich seine Rechte nicht, ich missachte ihn dadurch auch nicht.« Sie zieht die Grenze der Privatsphäre je nach der Beziehung zwischen den beiden Beteiligten, dem Grad ihrer Vertrautheit, was ja auch Ihrem Gefühl entspricht: Fremde gehen Ihre Sorgen nichts an, ihnen gegenüber dürfen Sie also problemlos die Unwahrheit sagen.

Ich selbst sehe die Lösung allerdings noch viel einfacher: Meiner Meinung nach stellt der Satz »Wie geht's?« für gewöhnlich gar keine echte Frage dar, sondern nur ein »Guten Tag« mit persönlichem Einschlag. Entsprechendes gilt für Ihre Reaktion: Man antwortet mit »Danke, gut« und hat nicht gelogen, sondern beide haben lediglich eine übliche Grußformel verwendet. Eskimos reiben sich die Nasen, hierzulande fragt man sich pro forma nach dem Befinden, ohne dass es wirklich interessiert, und antwortet positiv, ohne wirklich Wohlbefinden auszudrücken. Machen Sie doch einmal den Versuch und erzählen Sie Ihrem Chef, der Sie im Aufzug »Wie geht's?« gefragt hat, von den Schulproblemen Ihrer Kinder, den Spannungen in Ihrer Ehe oder von den erfreulichen sportlichen Erfolgen Ihres Bowlingclubs. Ich wette, Sie können an seinem Gesicht ablesen, dass dies deutlich mehr Informationen sind, als er haben wollte.

Arthur Schoppenhauer, *Preisschrift über die Grundlage der Moral,* Neuausgabe im Meiner Verlag 2006

Simone Dietz, *Die Kunst des Lügens,* Rowohlt Taschenbuch Verlag 2003

BITTE KLOPFEN

Unser Telefon hat eine Makelfunktion, sodass ich, wenn ein zweites Gespräch »anklopft«, entscheiden kann, ob ich es annehmen will. Als ich neulich mit meinem Nachbarn telefonierte, wollte ich einen Kundenanruf annehmen. Ich entschuldigte mich, makelte rüber, sprach mich kurz ab und wollte das erste Gespräch wieder aufnehmen. Er hatte in der Zwischenzeit aufgelegt. Als ich zurückrief, nahm er wiederholt ab und legte sofort wieder auf; er war wohl beleidigt. Stellt Makeln eine Respektlosigkeit dar?

THORSTEN S., KARLSRUHE

Die Streitfrage, wie exklusiv man seinen Mitmenschen jeweils Zeit zuwenden soll, ist kein Problem, das nur Sie betrifft. Es existieren in dieser Hinsicht zwei grundlegend unterschiedliche Modelle, die der amerikanische Anthropologe Edward T. Hall monochrone und polychrone Zeitkulturen nannte. In monochronen Gesellschaften, wie Nordeuropa, den USA und ganz extrem Japan, wird Zeit als etwas stetig Fließendes, Einzuteilendes angesehen; alles läuft meist nach Plan streng geregelt hintereinander ab, man muss eine Sache abschließen, bevor man eine andere beginnt. In polychronen Gesellschaften, etwa im Nahen Osten, den Mittelmeerländern und Südamerika, ziehen es die Menschen dagegen vor, mehrere Dinge gleichzeitig zu tun; Termine haben eine geringere Bedeutung. Weil monochrone Kulturen Zeit wie eine Sache behandeln – man kann sie »verwenden«, »sparen« und »vergeuden« –, erscheine es dort, so Hall, geradezu als unmoralisch (!), zwei Dinge zur gleichen Zeit zu erledigen. Hall meinte auch, das monochrone System habe zwar manche Vorteile vor allem innerhalb größerer Strukturen, der Kulturenvergleich helfe jedoch zu erkennen, dass es sich dabei um etwas Künstliches, Erlerntes handle, das die menschliche Natur verleugne. Und beide Systeme seien unverträglich, sie ließen sich so wenig mischen wie Öl und Wasser – eine Erklärung für Ihre Differenzen.

Darf man nun in Frieden makeln, wenn es dem monochronen Nachbarn nicht gefällt? Ich finde: ja. Auch wenn ich selbst nicht zur Polychronie neige, halte ich die streng monochrone Position Ihres Nachbarn als Extrem in einer Alltagssituation kaum für nachvollziehbar. Noch weniger allerdings seinen Ansatz, kommunikative Probleme mittels Kommunikationsverweigerung zu lösen oder zwischenmenschliche Differenzen durch Strafaktionen.

Edward T. Hall, *The Silent Language,* Anchor Books 1990

Edward T. Hall, *The Dance of Life. The Other Dimension of Time,* Anchor Books 1989

IM PUTZSCHATTEN

In unserem Mietshaus sind alle Parteien verpflichtet, im wöchentlichen Turnus das Treppenhaus zu reinigen. Da aber alle Bewohner sehr ordentlich sind, fällt häufig von einer Woche zur anderen gar kein Schmutz an. Deswegen erledige ich meinen Reinigungsdienst oft nur sehr sporadisch oder überhaupt nicht. Schließlich besteht der Sinn dieser Regelung ja darin, das Haus sauber zu halten; es geht nicht um das Putzen um des Putzens willen. Muss ich ein schlechtes Gewissen haben?

SVENJA R., FREIBURG

Sie schreiben vom Putzen um des Putzens willen, da kommt man ins Grübeln. Säuberungsrituale finden sich in nahezu allen Religionen. Eine äußere Handlung, meist in Verbindung mit Wasser, soll eine innere Reinigung herbeiführen. Bekanntestes Beispiel dürfte das Bad der Hindus im Ganges sein, Islam und Judentum kennen rituelle Waschungen vor dem Gebet, und auch das Eintauchen oder Übergießen des Täuflings im Christentum fällt in diese Kategorie. Womöglich hat ja auch Ihre Treppenhausreinigung einen tieferen Sinn als das schlichte Beseitigen von Straßenstaub.

Keine Sorge, ich drifte jetzt nicht ins Esoterische ab, aber zumindest hinter dem festen Rhythmus sehe ich tatsächlich mehr. Starre Regelungen wie der vom Bedarf unabhängige Putzturnus haben zwar etwas Grässliches (»Kehrwoche«), dienen aber zugleich der Vermeidung von Streit. Ab welchem Grad von Verschmutzung eine Reinigung als notwendig empfunden wird, hängt, sehen Sie sich doch einmal in Ihrer Umgebung um, sehr von persönlichen Einstellungen ab; wann eine neue Woche beginnt, weniger. Daneben bewirkt das wöchentliche Feudeln auch etwas, was der Jurist »Bestätigung der Rechtstreue« nennen würde: Ihre Nachbarn sehen, dass Sie putzen, deshalb macht es ihnen nichts aus, es selbst zu tun. Erlebten sie Sie statt nasse Lumpen nur muntere Reden schwingend, wäre der Missmut vorprogrammiert.

Damit Sie jetzt nicht dem Prinzip zuliebe saubere Stufen polieren müssen, möchte ich die »Platinene Regel« des menschlichen Zusammenlebens aufstellen: »Reden Sie miteinander!« Alle sonst wie glänzenden Regeln und Imperative bleiben in der Praxis oft matt, wenn sie einer für sich allein – wie trefflich auch immer – durchexerziert, der andere sein Verhalten aber nicht nachvollziehen kann. Deshalb mein Rat: Klären Sie es mit den Nachbarn oder halten Sie sich an den Turnus.

HOCHSITZ FÜR ALLE

Da ich nur 1,60 Meter messe, setze ich mich im Theater auf meine zusammengelegte Jacke, wenn mein Blick allzu schlecht ist. Ich achte aber darauf, nicht höher zu sitzen als jemand mit einer Durchschnittsgröße. Letztens hat mich die Person hinter mir aufgefordert, mich bitte wieder nach unten zu setzen, sie würde nun weniger sehen. Ist es aus moralischer Sicht zu vertreten, dass ich mir diesen Vorteil verschaffe, der ja eigentlich nur ein Ausgleich ist? Oder muss ich meine geringe Körpergröße und somit die schlechtere Sicht akzeptieren?

HILDEGARD L., BERLIN

Wenig überraschend stellen sich Fragen der Sicht je nach Blickwinkel höchst unterschiedlich dar. Der hinter Ihnen könnte sagen, er müsse notgedrungen akzeptieren, sollte ein Hochgewachsener vor ihm sitzen; deshalb will er umgekehrt auch davon profitieren, falls er problemlos über den Vordermann hinwegsehen kann. Der Riese bedeutet Pech für ihn, Sie bedeuten Glück, über den Zufall gleicht sich alles aus. Deshalb möchte er verständlicherweise nicht, dass Sie dieses Spiel zu seinen Ungunsten verändern. Sie dagegen wollen da nicht mitspielen, weil Sie immer verlieren und nichts weiter anstreben, als so viel zu sehen wie Otto Normalgroßer. Beides klingt berechtigt. Was nun?

Eine Lösung findet sich in einem der interessantesten moralphilosophischen Bücher des 20. Jahrhunderts: *Eine Theorie der Gerechtigkeit.* John Rawls vertritt darin unter anderem die These, dass wahre Gerechtigkeit nicht darin bestehe, lediglich allen die gleichen Chancen, hier also Sitzhöhe, einzuräumen, sondern es darüber hinaus notwendig sei, zufällige, hier größenmäßige Vor- und Nachteile, auszugleichen. Er meint, »das Ergebnis der Lotterie der Natur« sei »unter moralischen Gesichtspunkten willkürlich«, deshalb sei es Aufgabe der Gesellschaft, für einen Ausgleich zu sorgen.

Natürlich kann man darüber wie immer in der Philosophie streiten, ebenso über die Auswirkung der Körpergröße auf das Leben. In Ihrer Situation als Zuschauerin scheint es mir aber klar: Kleiner zu sein bedeutet hier schlechtere Sicht und damit einen Nachteil, den auf Dauer tatenlos zu ertragen man Sie nicht verpflichten kann. Deshalb muss Ihr jeweiliger Hintermann als Teil der Gesellschaft quasi stellvertretend für alle an einem Ausgleich mitwirken, indem er Ihre Höhenanpassung hinnimmt.

John Rawls, *Eine Theorie der Gerechtigkeit,* Suhrkamp Verlag 2005

John Rawls, *Gerechtigkeit als Fairness. Ein Neuentwurf,* Suhrkamp Verlag 2006

SCHLEIERHAFT

Aus Liebe zu einem Marokkaner konvertierte meine beste Freundin zum Islam. Seitdem wird sie immer fundamentalistischer, und ihr Wertesystem ändert sich rapide. Ich kann und will ihre neuen Ansichten auch nach ernsthafter Auseinandersetzung nicht teilen. Toleranz gegenüber Minderheiten, Meinungsfreiheit, Gleichberechtigung von Mann und Frau sowie Menschenrechte sind in meinen Augen unabdingbar. Wie kann ich den Spagat schaffen zwischen dem in vielen gemeinsamen Jahren errungenen Vertrauen zu meiner Freundin und diesen Veränderungen? Wie weit muss und kann Freundschaft gehen? ANDREA K., BERLIN

Man könnte nun versuchen, Ihr Problem auf der Ebene der Toleranz zu lösen, doch träfe es das meiner Ansicht nach nicht wirklich. Ihnen geht es ja weniger um die Frage, wie Sie allgemein mit Menschen umgehen sollen, die solche, unserem Wertesystem fundamental widersprechenden Ansichten vertreten, sondern um Ihre Freundin: Müsste nicht eine Freundschaft, wenn sie denn wertvoll ist, derartige Widersprüche ertragen?

Grundlegend zum Thema Freundschaft sind nach wie vor Aristoteles' Ausführungen im achten und neunten Buch seiner *Nikomachischen Ethik.* Er unterscheidet zwischen Freundschaften aus Nutzen, aus Lust und der Tugendfreundschaft. Übersetzt wären das eine Zweckfreundschaft »mit Hintergedanken«, eine sexuelle Beziehung und eine echte tiefe Freundschaft. Aristoteles fragt nun, ob man eine Freundschaft mit Menschen, die sich verändern, aufheben soll. Bei der Nutz- oder Lustfreundschaft scheint ihm das selbstverständlich: »Denn man war ja Freund von jenem, und da jenes den Menschen verlassen hat, so ist es begreiflich, dass man nicht mehr liebt.« Allerdings stellt sich das Verhältnis zu Ihrer Freundin eher als »Tugendfreundschaft« dar, aber auch da spricht sich Aristoteles klar für ein Ende der Freundschaft aus, wenn sich der andere zu sehr gewandelt hat: »Denn mit einem solchen Menschen war man nicht befreundet; und wenn man den, der sich verändert hat, nicht zurückholen kann, so verzichtet man.« Das klingt hart, trifft aber meines Erachtens den Kern. Zum Wesen der Freundschaft gehört zwar, dass sie auch Durststrecken überwinden kann, doch wenn es in Gegenwart und Zukunft keine gemeinsame Basis mehr gibt, weil man sich mit dem veränderten Menschen niemals befreundet hätte, handelt es sich bei den Gefühlen für ihn nicht um Zuneigung, sondern schlicht um Sentimentalität.

Aristoteles, *Die Nikomachische Ethik.* Taschenbuchausgaben sind beispielsweise bei dtv und Rowohlt erschienen.

Die Fahne hoch oder: Dies und das

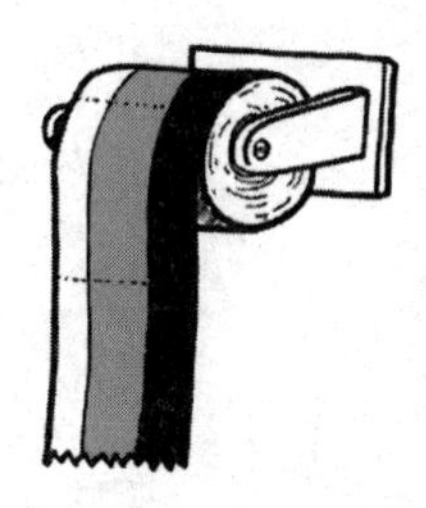

ÜBERLEBENSFRAGEN

Ich habe sehr genaue Vorstellungen davon, wie mein Begräbnis ablaufen sollte, und habe meine Wünsche bereits heute schriftlich festgelegt. Meine Frau würde meinen Bestattungsritus jedoch am liebsten ganz anders gestalten. Handle ich egoistisch, wenn ich auf der Erfüllung meines Willens bestehe, auch wenn es den Wünschen meiner Frau als mich »Überlebende« zutiefst widerspricht? Schließlich bin ich dann schon tot und kriege vermutlich gar nichts mehr mit.

ERNST F., HAMBURG

Ein wenig paradox klingt es ja schon, wenn man das beim Thema Tod schreibt, aber es scheint mir hier keine endgültige Lösung zu geben. Jeder von Ihnen beiden hat wahrhaft berechtigte Anliegen. Für die Angehörigen erfüllt die Trauerfeier einen wichtigen Zweck. Nach dem Verlust eines geliebten Menschen müssen sie für sich eine neue Position im Leben finden. Bei diesem »Statusübergang«, so die Bezeichnung in der Psychologie, sind Riten hilfreich und wichtig. Je größer der Stellenwert des Verstorbenen für den Überlebenden war, desto stärker ändert sich dessen Leben, desto ausgeprägter sein Statusübergang. Vielleicht wünscht Ihre Frau deshalb eine bestimmte Gestaltung.

Wer hingegen an seinen eigenen Tod denkt, muss sich, so Philippe Ariès in seiner *Geschichte des Todes,* vor allem mit der Hinfälligkeit des menschlichen, speziell seines Lebens auseinandersetzen. Für ihn hat die Planung der eigenen Trauerfeier eine andere Bedeutung, die jedoch keinesfalls geringer zu schätzen ist.

Was bedeuten diese nachvollziehbaren Erwägungen nun für Ihre Frage? Komischerweise gelange ich, wenn ich mich an Ihrer beiden Stellen zu versetzen suche, jeweils zu einem überraschenden Schluss: Mir erscheint es nahezu selbstverständlich, so weit Verständnis für die Position des anderen zu haben, dass man sich gern dessen Wünschen anschließt. Wollen Sie in der Gewissheit sterben, dass Ihre Frau durch die Form der Beisetzung noch unglücklicher wird, als sie es ohnehin sein dürfte? Will Ihre Frau umgekehrt sich von Ihnen in einer Form verabschieden, von der sie weiß, dass sie Ihnen zuwider wäre? Zweimal klar nein, deshalb muss doch das Bedürfnis da sein, eher auf die Wünsche des anderen einzugehen, als die eigenen durchzusetzen. Und von dieser Erkenntnis bis zu einer beide Seiten zufriedenstellenden Lösung ist es wirklich nicht mehr weit. Eine solche nicht anzustreben, sondern fest auf der eigenen Position zu beharren, das hielte ich angesichts berechtigter Interessen auf beiden Seiten tatsächlich für egoistisch.

PHILIPPE ARIÈS, *Geschichte des Todes,* dtv 1999

DAS GASTMAHL

Wenn ich für Freunde koche, benutze ich manchmal Nahrungsmittel, die mir selbst zu ungesund wären. Einerseits weiß ich, dass meine Gäste solche Zutaten selbst benutzen. Andererseits frage ich mich, ob ich es verantworten kann, anderen etwas vorzusetzen, was ich für schädlich halte. Mein Motiv dabei: Egoismus; ungesund lässt es sich oft leichter kochen, und das Lob fürs gute Essen gilt dann mir.

SUSANNE B., MÜNCHEN

Während ich über Ihre Frage nachdachte, erschienen vor meinem geistigen Auge eine mehrstöckige zuckerglasierte Buttercremetorte und ein honiggesüßter Dinkel-Grünkern-Rübli-Kuchen. Viele Menschen befürchten sicherlich, nach Genuss der Torte an Diabetes, Übergewicht und Verstopfung zu sterben, andere, wohl auch Ihre Gäste, meinen eher: Lieber das, als der sofortige Tod durch Ersticken am Vollwertgebäck.

Nun sind schädliche, gar tödliche Lebensmittel nichts Neues, sondern ein altbekanntes Phänomen in der Philosophie; Sokrates leerte den Schierlingsbecher, um nicht gegen die Gesetze des Staates zu verstoßen. Hier jedoch stellt sich die Frage, welches Verhalten einen Verstoß gegen die Gesetze der Gastfreundschaft darstellt.

Wer über die Todesart der Gäste entscheiden darf, ist ein Spezialfall der allgemeinen Überlegung: Nach wessen Geschmack sollte sich die Gestaltung einer Einladung richten? Nach dem der Gäste oder dem des Gastgebers? Man kann es so halten wie Prinz Orlofsky in Johann Strauß' Operette *Die Fledermaus*. Er erläutert in seinem ebenso sprichwörtlichen wie hier passenden Couplet »Ich lade gern mir Gäste ein«: Wer sich nicht nach seinem Gusto verhält, fliegt raus oder bekommt eine Flasche an den Kopf. Seine Begründung dafür ist einfach: »'s ist mal bei mir so Sitte: Chacun à son goût!«

Ich sehe es jedoch genau umgekehrt. Primär soll es den Gästen gefallen und schmecken, also darf die Zutatenauswahl dem nicht entgegenlaufen. Dass sich das im Lob der Geladenen widerspiegelt, liegt in der Natur der Sache und ist deshalb für den Gastgeber gleichermaßen erfreulich wie moralisch unbedenklich.

Die Geschichte des Todesurteils gegen Sokrates findet sich in PLATONS *Apologie des Sokrates* und dem Dialog *Kriton*, die zusammen beispielsweise in einem schmalen Bändchen im Reclam Verlag erschienen sind.

JOHANN STRAUSS *Die Fledermaus*, Text von Richard Genée, uraufgeführt am 5. April 1874 im Theater an der Wien.

DIE FAHNE HOCH

Zur Fußball-Weltmeisterschaft hatten wir uns eine deutsche Flagge angeschafft. Sie hing am Fahnenmast, flatterte aus der Heckscheibe unseres Autos, diente als Regenschutz beim Public Viewing; aber auch als Rock oder Kopftuch. Nun schaut die Flagge aus wie die lädierten Beine von Michael Ballack nach dem Turnier. Für den Fahnenmast ist sie nicht mehr zu gebrauchen. Was – auch moralisch gesehen – sollen wir mit dem Tuch anfangen? In die Stoffverwertung oder den Restmüll geben? Darf die Fahne vielleicht als Putzlappen dienen?

CARSTEN A., FULDA

Hier heißt es aufpassen. Der Umgang mit Flaggen und sonstigen Hoheitszeichen ist im Strafgesetzbuch geregelt – mit kurios anmutenden Folgen: Wenn Sie mit der alten Fahne zu Hause Ihr Klo putzen, dürfte das straffrei bleiben, wenn Sie auf der Straße Ihr Auto damit waschen, können Sie für drei Jahre hinter Gitter wandern. Das könnte man Ihnen nämlich als »Verunglimpfung« auslegen, und die ist nach Paragraf 90a dann strafbar, wenn sie öffentlich geschieht. Geschützt werden soll durch die Vorschrift nämlich nicht die Flagge selbst oder die »Staatsehre«, sondern das Staatsgefühl der

Bürger, welches, wenn überhaupt, nur durch etwas tangiert wird, was außerhalb der Privatsphäre stattfindet. In den USA fällte der Oberste Gerichtshof das umstrittene Urteil, dass das öffentliche Verbrennen des Sternenbanners als Zeichen der Missachtung, weil von der Meinungsfreiheit gedeckt, nicht strafbar sein kann. Versuche, ein entsprechendes Verbot in der US-Verfassung zu verankern, scheiterten an fehlenden Mehrheiten. Andererseits gibt es in den USA – anders als hierzulande – eine gesetzliche Regelung für Ihre Frage. Gemäß Paragraf 176 des United States Flag Code soll eine Flagge, die nicht mehr in einem vorzeigbaren Zustand ist, auf würdige Weise vernichtet werden, vorzugsweise ausgerechnet durch Verbrennen.

Was bedeutet das alles konkret? Vielleicht bin ich kein glühender Patriot, aber ich sehe das kühl: Eine Flagge ist nichts weiter als ein Stück bunter Stoff. Gehisst oder sonst in spezifischer Weise verwendet, symbolisiert das Tuch die Verbundenheit zu einem Land. Heruntergeholt vom Fahnenmast, hat es diese Funktion nicht mehr und ist wieder das einfache Stück bunter Stoff. Und mit dem kann man, moralisch gesehen, machen, was man will – solange man es nicht in einer Weise tut, die Wertschätzungen oder Gefühle anderer verletzt.

STRAFGESETZBUCH (STGB)
§ 90a Verunglimpfung des Staates und seiner Symbole
(I) Wer öffentlich, in einer Versammlung oder durch Verbreiten von Schriften (§ 11. Abs. 3)
...
2. die Farben, die Flagge, das Wappen oder die Hymne der Bundesrepublik Deutschland oder eines ihrer Länder verunglimpft, wird mit Freiheitsstrafe bis zu drei Jahren oder mit Geldstrafe bestraft.

U.S. SUPREME COURT TEXAS V. JOHNSON, 491 U.S. 397 (1989) UNITED STATES FLAG CODE.
Public Law 826; Chapter 806, 77th Congress, 2nd session
§ 176. Respect for flag
No disrespect should be shown to the flag of the United States of America; the flag should not be dipped to any person or thing. Regimental colors, State flags, and organization or institutional flags are to be dipped as a mark of honor.

(k) The flag, when it is in such condition that it is no longer a fitting emblem for display, should be destroyed in a dignified way, preferably by burning.

GUT GEGEBEN

Für Spenden lasse ich mir Bescheinigungen zur Steuerermäßigung ausstellen. Meine Tochter bemängelt dies und meint, Spenden müssten spontan und »ohne Hintergedanken« sein. Hat sie Recht? WOLFGANG W., CELLE

Aus welchen Gründen will man spenden? Weil einem ein gemeinnütziger Zweck am Herzen liegt oder um Buße zu tun? Im ersten Fall spricht nichts dagegen, die Quittung später beim Finanzamt einzureichen; der Gesetzgeber sieht das so vor. Bei Ihrer Tochter steht dagegen offenbar mehr der Gedanke der eigenen Aufopferung im Vordergrund, und die ist natürlich ohne Steuerersparnis größer. Noch effektiver wäre dann vielleicht eine Selbstgeißelung. Oder Sie nutzen doch die Quittung und zahlen einfach doppelt so viel. Dann haben auch die Bedürftigen mehr davon.

ABGEKLATSCHT

Vor Kurzem war ich in der modernen Inszenierung eines klassischen Dramas, welches ein junger deutscher Autor bearbeitet hatte. Die schauspielerische Leistung war gut, die Inszenierung langweilig, die Bearbeitung leider miserabel: unmotiviert, unflätig und anstrengend. Ich habe mich über die Darbietung derart geärgert, dass ich mich am Ende nicht dazu durchringen konnte, zu klatschen. Muss ich jetzt ein schlechtes Gewissen haben, weil ich die harte Arbeit der Schauspieler nicht angemessen gewürdigt habe?

HANNAH H., DÜSSELDORF

Nein, müssen Sie nicht. Man bezeichnet den Applaus zwar als das Brot der Künstler; trotzdem wird er nicht pfundweise abgepackt, sondern bleibt eine Gefühlsäußerung des Zuschauers. Wenn Ihnen der Abend gefallen hat, klatschen Sie; wenn nicht, lassen Sie es. Die Premiere bietet Ihnen die Möglichkeit zu differenzieren und den Bearbeiter getrennt auszubuhen. In den anderen Vorstellungen können Sie das leider nur begrenzt oder gar nicht. Deshalb müssen Sie danach gehen, welche Empfindung bei Ihnen überwiegt. Wenn das eindeutig der Ärger ist, wäre Beifall fast schon unaufrichtig.

BÖSE LIEDER

Zur Entspannung höre ich gern meditative Musik von Oliver Shanti. Inzwischen wurde bekannt, dass er Kinder missbraucht haben soll. Er wird unter seinem richtigen Namen Ulrich Schulz per Haftbefehl gesucht und befindet sich auf der Flucht vor der deutschen Justiz. Meine Frage lautet nun: Kann ich es verantworten, weiterhin diese Musik mit gutem Gewissen zu genießen? MECHTHILD K., MÜNCHEN

»Musik wird störend oft empfunden, so sie mit Gewalt verbunden.« Dieses Motto frei nach Wilhelm Busch beschäftigt offensichtlich etliche Leser, denn entsprechende Fragen erreichten mich auch während der Prozesse gegen Michael Jackson und Bertrand Cantat, den Sänger der französischen Rock-Gruppe Noir Désir.

Kernpunkt scheint mir, einmal abgesehen vom Aspekt der Unschuldsvermutung, in allen Fällen zu sein, wie sehr sich die Musik von ihren Urhebern trennen lässt. Das führt zur Frage, inwiefern generell ein Werk von moralischen Verfehlungen eines Künstlers beeinträchtigt wird, quasi mithaftet. Interessant deshalb, weil Künstler wie der Maler Caravaggio als Schläger und Mörder, der Bildhauer Benvenuto Cellini gar als mehrfacher Mörder bekannt wurden. Bleiben nun deren Bilder und Skulpturen, weil immer noch an ihnen hängend, sozusagen Mit-Täter?

Es geht also noch allgemeiner um das Verhältnis eines Kunstwerks zu seinem Schöpfer. Der Kunsthistoriker Dagobert Frey schrieb dazu 1931: »Das Kunstwerk als Objekt tritt der schaffenden Persönlichkeit als Subjekt gegenüber als selbstständige, wirkungsvolle, der Kausalität der objektiven Welt unterworfene Realität.« Er sieht darin eine Verkörperung des schöpferischen Willens, fast wie in einem Zeugungsakt. Dieser genialische Kunstbegriff wird heute nicht mehr allgemein vertreten, doch er enthält eines, was mir wichtig erscheint: Das Werk wird gegenüber dem Künstler eigenständig. Ich würde sogar weitergehen. Meiner Ansicht nach wird es gerade und nur dann zur Kunst, wenn es sich von Hand und Kopf des Schöpfers so weit gelöst hat, dass es ein Plus aufweist gegenüber »Tand von Menschenhand« und damit eine eigene Subjektsqualität. Kann es dann noch direkt mit der Person des Künstlers und dessen Verfehlungen verbunden werden?

Manche meinen, entscheidend sei, ob die Verfehlungen im Bereich des künstlerischen Schaffens liegen, wie etwa bei dem Wiener Aktionisten Otto Muehl. Er verbüßte eine Haftstrafe wegen Missbrauchs Minderjähriger, eine Tat, die als Teil seiner Lebensweise innerhalb einer Kommune auch Bestandteil des Gesamtkunstwerks wurde. Dieses sei damit anders als bei Taten im reinen Privatbereich ebenfalls belastet, ein rein ästhetischer »Genuss« würde schwierig. Nun hat aber der Berliner Kunsthistoriker Horst Bredekamp nachgewiesen, dass gerade Cellinis Morde mit seinen Plastiken etwa beim

Blutstrom aus dem Rumpf der Medusa untrennbar verbunden sind. Sollte deshalb die Stadt Florenz die Bronzegruppe des Perseus vom Signorienplatz verbannen?

Das empfände man sicherlich als unangemessen; kaum jemand würde heute das Kunstwerk, vor dem er steht, durch einen Mord vor fast 500 Jahren beeinträchtigt sehen. Damit aber wechselt man den Blickwinkel, man stellt auf den ab, der die Kunst genießt. Das muss nicht unzulässig sein, im Gegenteil, es entspricht einem anderen, modernen Kunstbegriff, den man mit dem Schlagwort versehen könnte: Die Schönheit liegt im Auge des Betrachters. Nach dieser Auffassung bestimmt sich die Kunst nicht primär im genialischen Schöpfungsakt, sondern hängt vielmehr an der Rezeption, der Aufnahme durch den Wahrnehmenden.

Damit aber hätten wir endlich eine Antwort: Es liegt an Ihnen. Wenn Sie die Musik trotz einer Auseinandersetzung mit den Vorwürfen unbeeinträchtigt genießen können, hat sie sich von ihrem inkriminierten Schöpfer gelöst, und Sie müssen kein schlechtes Gewissen haben. Können Sie das nicht, bleiben die Melodien mit dem Vorwurf verbunden; Sie werden sie aber ohnehin nicht mehr hören wollen, und die Frage erübrigt sich.

DAGOBERT FREY, *Das Kunstwerk als Willensproblem,* erschienen 1931 in der Zeitschrift für Ästhetik und allgemeine Kunstwissenschaft, abgedruckt in DAGOBERT FREY, *Kunstwissenschaftliche*

Grundfragen: Prolegomena zu einer Kunstphilosophie, Rohrer Verlag Wien 1946, Nachdruck Wissenschaftliche Buchgesellschaft Darmstadt 1992

Benvenuto Cellini, *Mein Leben,* Manesse Verlag 2000

Horst Bredekamp, *Die Kunst des perfekten Verbrechens.* In: Die Zeit 50/2000

Wolfgang Kemp (Hrsg.), *Der Betrachter ist im Bild – Kunstwissenschaft und Rezeptionsästhetik,* Dietrich Reimer Verlag 1992

HEIMSPIEL

Bei Sportereignissen schlägt mein Herz meist für die deutsche Mannschaft, obwohl mir nationales Getue eigentlich fremd ist. Ist das nicht unfair, da ich weder die deutschen noch die anderen Sportler genauer kenne und gar nicht wissen kann, wie intensiv sie sich vorbereitet haben und ob sie den Sieg verdient hätten? Außerdem: Ich wohne in der Nähe der belgischen Grenze. Wäre ich 50 Kilometer weiter westlich geboren, würde ich für ganz andere Sportler fiebern. Kann ich also meine Sympathien überhaupt ernst nehmen, oder bin ich gar Chauvinist? ALFRED S., KERPEN

Auch auf die Gefahr hin, bei Ereignissen wie Fußballwelt oder Europameisterschaften in Zukunft undercover leben zu müssen: Mir war schon immer rätselhaft, wie sich Glücksgefühle verbreiten können bis hin zum delirösen Freudentaumel, nur weil ein Sportler auf dem Treppchen steht, der zufällig den gleichen Pass hat wie man selbst.

Vielleicht hat Robert Musil in seinem *Mann ohne Eigenschaften* – aus dem man nicht oft genug zitieren kann – den Ursprung dieses Gefühls auf den Punkt gebracht: »Nun sind Kinder Aufschneider, lieben das Spiel Räuber und Gendarm und sind jederzeit bereit, die Familie Y aus der Großen X-gasse, wenn sie ihr zufällig angehören, für die größte Familie der Welt zu halten. Sie sind also leicht für den Patriotismus zu gewinnen.«

Haben in Anbetracht dessen Wettkämpfe zwischen Nationen überhaupt einen Sinn? Ja, meinte der zugegebenermaßen nicht unumstrittene Verhaltensforscher Konrad Lorenz; Sport wirke segensreich, weil er »wahrhaft begeisterten Wettstreit zwischen überindividuellen Gemeinschaften« ermögliche. Er öffne, so Lorenz, »nicht nur ein ausgezeichnetes Ventil für gestaute Aggression in der Form ihrer gröberen, mehr individuellen und egoistischen Verhaltensweisen, sondern gestattet ein volles Ausleben auch ihrer höher differenzierten kollektiven Sonderform.«

Was bedeutet das für Ihre Gefühle? Wäre es nicht doch besser, wenn Sie sich, wie Sie erwägen, an objektiven Kriterien orientierten? Ich finde, nein. Es handelt sich auch bei den Kämpfen der Bälle, Wagen und Gesänge nach wie vor um ein Spiel, an dem man irrationale Freude haben darf. Mir gefällt hier der Gedanke »Ubi bene, ibi patria« – wo es mir gut geht, ist mein Vaterland. Solange es nicht in Herabsetzung anderer oder gar Gewalt ausartet, scheint mir gleich, wo Ihr Herz sich zu Hause fühlt: Sei es bei der Mannschaft mit der besten Balltechnik, den buntesten Trikots oder eben der aus dem eigenen Land.

Robert Musil *Der Mann ohne Eigenschaften,* Rowohlt Verlag 1987
Konrad Lorenz, *Das sogenannte Böse. Zur Naturgeschichte der Aggression,* dtv 1998

GUANTANAMERA

Sommerzeit ist Straßencafézeit. Leider vermiesen mir jedoch Straßenmusiker, die plötzlich auf dem Gehsteig auftauchen, immer wieder den Besuch in meinen Lieblingslokalen. Sie spielen nie das, was ich gerne hören würde, sind oft so laut, dass keine Unterhaltung mehr möglich ist, und wollen dann auch noch Geld – das ich niemals gebe. Es bleibt deshalb der schale Beigeschmack, einen Menschen, der gearbeitet hat, nicht bezahlt zu haben. Andererseits habe ich die Arbeit nicht in Auftrag gegeben, und sie gefällt mir nicht. Für mich ist das Betteln in abgewandelter Form. PAOLO K., BERLIN

Letzten Sommer saß ich einmal – die Last der Moralfragen hatte mir überraschend eine kurze Pause gewährt – in einem solchen Café im Freien, als eine Gruppe von Straßenmusikanten herannahte. Sie bauten sich vor den Tischen auf und wollten gerade zu spielen beginnen, da rief eine Frau in der ersten Tischreihe laut und deutlich »Nein!!!«. Ein Nein, dem man anhörte, über welche Zeit und über wie viele Dutzende, wenn nicht Hunderte von Straßenmusikantenmelodien es sich angesammelt hatte, bevor es nun endlich herausdurfte. Auf der gesamten Fläche des Cafés wurde es ob des Unerhörten mit einem Schlag totenstill, die Gespräche verstummten, alle Blicke richteten sich auf die Urheberin – bis lauter Beifall losbrach. Verdutzt packten die Musiker ihre Instrumente ein und zogen weiter. Es fehlte nicht viel, und die mutige Nein-Ruferin wäre auf den Schultern durch die Menge getragen worden. Es war, als hätte sie gezeigt, dass man schlechtes Wetter oder andere Schicksalsschläge durch ein schlichtes Wort abwenden kann. Leider hielt das nicht lange vor; die Fiedler begriffen sehr schnell, Derartiges durften sie nicht einreißen lassen. Angesichts des Erfolges bestand die Gefahr, das Rufen könnte schnell Schule machen und in einem Flächenbrand der gesamten Dudel-Trommel-Branche den Garaus bereiten. Nach einer Schreckminute kamen sie zurück und spielten doppelt lange, um ihr Terrain und ihr »Geschäftsmodell« zu verteidigen. Vergeblich war das Rufen dennoch nicht, es blieb die Erkenntnis: Warum sollten Sie etwas zahlen? Belästigt zu werden schafft keine Verpflichtung. Wenn Sie die Musik erfreut hat, geben Sie so viel, wie Ihnen die Freude wert war. Waren Sie genervt, geben Sie nichts. Oder rufen Sie: »Nein!«

GERECHTE WORTHALTUNG

In einem Gespräch verwendete ich kürzlich den Begriff »KZ-Hühner«, um das Einsperren von Hühnern auf engstem Raume in Legebatterien anzuprangern. Mein Freund, der die nicht artgerechte Tierhaltung ebenfalls ablehnt, war entrüstet. Der Vergleich werde dem einzigartigen Schrecken des Holocaust nicht gerecht und verletze die Würde der darin Umgekommenen. Darf ich solch provokativ gemeinte Vergleiche benutzen, um auf ein aktuelles Übel hinzuweisen, oder besteht zu Recht ein Tabu? ELLEN K., DÜSSELDORF

Ihre Frage betrifft zwei moralisch relevante Bereiche, und in solchen Fällen empfiehlt es sich, diese zunächst einzeln zu betrachten. Als Erstes die Legebatterien. Sie nehmen Anteil an den Lebensbedingungen von Hühnern, welche nicht artgerecht gehalten werden, und versuchen dies mit einer drastischen Bezeichnung zu verdeutlichen. Vermutlich hoffen Sie, damit langfristig zu einer Verbesserung beizutragen. Das ist natürlich positiv zu sehen, da der Tierschutz ein ethisches Anliegen darstellt.

Verletzt nun Ihr verbaler Vergleich die Opfer des Holocaust? Man wird wohl nicht umhinkönnen, das in gewissem Sinne zu bejahen, und zwar gemäß der Unterscheidung zwischen Zweck und Mittel. Immanuel Kant hat dies im Bezug auf den Menschen als vernünftiges Wesen in der Zweck-an-sich-Formel seines Kategorischen Imperativs ausgedrückt: »Handle so, dass du die Menschheit sowohl in deiner Person als in der Person eines jeden anderen jederzeit zugleich als Zweck, niemals bloß als Mittel brauchest.« Nun gebrauchen Sie zwar keineswegs die Umgekommenen selbst, wohl aber das Wissen um deren Leid, verbunden mit dem Begriff »KZ«, als Mittel zum Zwecke des Tierschutzes. Damit instrumentalisieren Sie die Opfer des Nationalsozialismus zumindest indirekt, weil es bei der Benennung eben nicht um sie selbst geht, sondern ihr Schicksal für einen anderen Zweck herangezogen wird.

Damit bleibt die abschließende Frage: Wiegt Ihr berechtigtes Anliegen diese nur verbale und indirekte Verletzung auf? Ich will mich hier nicht zum Sprachwächter aufschwingen, dennoch finde ich: nein. Zum einen verbietet sich beim Grauen des Holocaust die Abwägung mit anderen Werten, zum anderen besteht mit jeder Verwendung dieser Begriffe im Alltag die Gefahr der Gewöhnung und damit im nächsten Schritt die der Verharmlosung. Die jedoch muss unbedingt vermieden werden.

Immanuel Kant, *Grundlegung zur Metaphysik der Sitten,* AA Band IV, S. 429. Eine preisgünstige Ausgabe ist im Reclam Verlag erschienen.

Zur Erläuterung der verschiedenen Formeln des Kategorischen Imperativs sehr empfehlenswert ist Ralf Ludwig, *Kant für Anfänger. Der Kategorische Imperativ,* dtv 2004.

DIE REIHEPRÜFUNG

Wir haben ein Opernabo und im Lauf der Zeit festgestellt, dass zwei Plätze in einer teureren Kategorie immer leer bleiben. Dürfen wir uns dahin setzen? Sicher fragen sich das viele regelmäßige Opernbesucher, doch bisher hat es keiner gewagt. Wenn wir es tun, wird jeder wissen, dass wir schummeln. Gibt es dennoch moralische Gründe, die dafür sprechen? GERTRAUDE UND JÜRGEN W., MÜNCHEN

Die gibt es sehr wohl. Man muss sogar eine ganze Weile nachdenken, um auf moralische Gründe zu kommen, die gegen Ihr Vorhaben sprechen. Wahrscheinlich glauben Sie, sich einen unberechtigten Vorteil zu verschaffen, doch schon darüber lässt sich streiten. In einer Parzival-Inszenierung habe ich zum Beispiel einmal weit vorn gesessen, mich dann aber, als die eine oder andere Stunde verstrichen war, sehr nach einem leicht im Halbdunkel liegenden Rangplatz gesehnt. Doch wird das die Ausnahme sein, und meistens ist der Genuss auf den teuren Plätzen wirklich größer.

Vielleicht versucht Ihr Opernhaus seit Jahr und Tag vergeblich, die teuren Plätze im Abonnement loszuwerden. In diesem Fall brächten Sie die Oper um ihr Geld, wenn Sie die niedrige Kategorie abonnierten und sich in die höhere setzten. Doch es ist gar nicht so einfach, an ein Opernabo zu kommen, und wenn stets die gleichen zwei Plätze frei bleiben, sind sie sicher schon lange vergeben, also bezahlt.

Damit kehrt sich die Sache um. Sie schaden dem Haus nicht, wenn Sie sich nach vorn setzen, ja es ist sogar schwer vertretbar, die Plätze leer zu lassen. Ich könnte nun – aus Überzeugung – argumentieren, dass Kunst genauso wichtig ist wie Brot und dass man Lebensmittel nicht wegwirft. Dass Opernplätze hochverderblich sind und man sie deshalb »vor Ablauf« nutzen muss. Oder dass es für die Künstler angenehmer ist, wenn die vorderen Reihen gefüllt sind. Es gibt jedoch noch ein weiteres Argument für meine Ansicht. Nach amtlichen Statistiken lag im Jahr 2000 der durchschnittliche Kartenpreis in den größeren deutschen Opernhäusern bei rund 57 Mark. Gleichzeitig wurde aber jeder Platz – vom Stehplatz bis zur Loge – jeden Abend mit 268 Mark bezuschusst. Dieses Geld soll natürlich nicht leeren Polstern, sondern einem Musikliebhaber zugute kommen. Setzen Sie sich also ruhig nach vorn. Sie verhindern dadurch moralisch die Verschwendung von Steuergeldern.

STILLE POST

Gilt das Briefgeheimnis auch über den Tod hinaus? Meine Jugendfreundin ist unerwartet früh gestorben. Da wir immer weit auseinander gewohnt haben (München/Hamburg), hatten wir einen regen Briefwechsel. Wir waren sehr ehrlich zueinander. Jetzt frage ich mich, ob ich ihren Kindern, die alle über dreißig sind, anbieten kann, diese sehr schönen Briefe zu lesen?

MARIANNE P., GELSENKIRCHEN

Um Ihre zugespitzte Formulierung zum »Briefgeheimnis« aufzugreifen: Ja, so wie Sie es beschreiben, gilt es auch über den Tod hinaus. Allerdings steht hier gar nicht das Briefgeheimnis im eigentlichen Sinn zur Diskussion. Dieses in der Verfassung als Grundrecht verbürgte Prinzip schützt die Nachricht strafbewehrt nur auf ihrem Weg vom Absender zum Empfänger. Nachdem sie dort angekommen ist, geht es um so etwas wie die Vertraulichkeit des Wortes oder der Information, die jemand einem anderen hat zukommen lassen; da es sich um einen Brief handelte, in einer Form, die sich fast exklusiv an eine einzige Person richtet, an Sie als Empfängerin.

Und obwohl es sich hier weniger um Rechtliches dreht, möchte ich auf ein Urteil zurückgreifen. Der Bundesgerichtshof hatte nämlich einmal zu entscheiden, inwieweit die Schweigepflicht des Arztes über den Tod des Patienten hinaus gilt. Die Richter stellten fest, dass diese Pflicht grundsätzlich bestehen bleibt und ein Auskunftsrecht nur in dem Maße automatisch auf die Erben übergeht, in dem Vermögensinteressen betroffen sind. Ansonsten müsse der Arzt auch gegenüber den Hinterbliebenen die Auskunft verweigern, »soweit er sich bei gewissenhafter Prüfung seiner gegenüber dem Verstorbenen fortwirkenden Verschwiegenheitspflicht an der Preisgabe gehindert sieht«. Den Arzt habe man nach dem Tode des Patienten »als insoweit mit Recht und Pflicht zur Verschwiegenheit betrauten Treuhänder« zu betrachten.

Nun sind weder Sie Ärztin noch war Ihre Freundin Ihre Patientin, aber mir gefällt die Idee des »Treuhänders« auch für Ihren Fall. Die Verstorbene hat Ihnen vertraut und entsprechend etliches anvertraut. Nun müssen Sie eben treuhänderisch entscheiden, ob Ihre Freundin gewollt hätte, dass ihre Kinder die Briefe zu lesen bekommen. Vielleicht trifft das auf alle zu, vielleicht auch nur auf manche davon. Dies im Sinne der von Ihnen geschätzten Verfasserin zu entscheiden, ist ein schöner letzter Dienst, den Sie ihr erweisen können.

BUNDESGERICHTSHOF, Entscheidung vom 31.05.1983 – VI ZR 259/81, Neue Juristische Wochenschrift 1983, S. 2627

SCHÖN UND GUT

Ist es moralisch verwerflich, wenn ich mich im Umgang mit Menschen von äußerlichen Reizen beeinflussen lasse? Die Bezauberung durch das Schöne und Jugendliche hat schließlich Folgen, die ich bei mir, aber auch bei vielen anderen Männern, oft als bedenklich wahrnehme: Wenn mich zwei Menschen um etwas bitten, um Geduld vielleicht, um einen Gefallen, dann antworte ich dem oder der Jungen-Schönen oft entgegenkommender; zumindest innerlich, von meiner seelischen Bereitschaft her. Was halten Sie davon?

KLAUS R., MÜNCHEN

Zunächst einmal kann ich Sie beruhigen. Die Bezauberung, die Sie bei sich feststellen, disqualifiziert Sie nicht; fast scheint sie eine biologische Konstante zu sein: Wir Männer wie Frauen werden vom Schönen angezogen. Wie und warum das alles funktioniert, ergründet ein eigener Wissenschaftszweig, die Attraktivitätsforschung. Von biologischer Seite her betrachtet steht dabei meist ein Vorteil bei der Fortpflanzung im Mittelpunkt. So wirken, wie Untersuchungen nachgewiesen haben, Gesichter schön, die fit und jugendlich aussehen und symmetrisch sind. All dies seien Zeichen körperlicher Gesundheit, die Symmetrie beispielsweise ein Hinweis, dass sich der Körper regelmäßig und ohne Störungen entwickelt hat. Hinter diesem Mechanismus soll das Bestreben der Natur stecken, den eigenen Nachkommen, welche die eigenen Gene weiterverbreiten, über die Partnerwahl möglichst gute Chancen mitzugeben.

Die Bevorzugung des Jungen-Schönen steckt also tief in uns und lässt sich weder leugnen noch ohne Weiteres unterdrücken. Doch ist sie deshalb auch moralisch richtig? Ich finde nicht. Als mit Verstand ausgestattete Menschen haben wir die Möglichkeit, solche Zusammenhänge zu erkennen und gegenzusteuern – die eigentliche moralische Leistung. Nur wie? Dass uns das Attraktive freundlich stimmt, wird man kaum abstellen können. Das scheint mir auch nicht notwendig. Theoretisch würde es zwar Ihre Bedenken zerstreuen, wenn Sie nun jeden Adonis oder jede Aphrodite besonders unfreundlich behandeln, doch wäre in der Praxis niemandem gedient. Sie können sich hingegen bemühen, auch dann freundlich zu sein, wenn sich die äußerlichen Reize in überschaubaren Grenzen halten und Sie nicht automatisch dazu anspornen.

Neben dem moralisch anzustrebenden Ausgleich hätte dieses Vorgehen noch den Effekt, dass es das allgemeine Freundlichkeitsniveau nicht senkt, sondern zu unser aller Vorteil anhebt.

ECKART VOLAND, KARL GRAMMER, *Evolutionary Aesthetics,* Springer Verlag 2003
WINFRIED MENNINGHAUS, *Das Versprechen der Schönheit,* Suhrkamp Verlag 2007

PERSONEN- UND SACHREGISTER